paralela

Copyright © 2015 by Victoria Ceridono
Copyright ilustrações © 2015 by Karen Hofstetter
Copyright fotos © 2015 by João Bertholini e Marcel Valvassori

A Editora Paralela é uma divisão da Editora Schwarcz S.A.

Grafia atualizada segundo o Acordo Ortográfico da Língua Portuguesa de 1990, que entrou em vigor no Brasil em 2009.

Redação e pesquisa
Tathiane K. Forato

Capa e projeto gráfico
Joana Figueiredo

Foto de capa
João Bertholini

Preparação
Andressa Bezerra Corrêa

Revisão
Thaís Totino Richter
Luciana Baraldi

Dados Internacionais de Catalogação na Publicação (CIP)
(Câmara Brasileira do Livro, SP, Brasil)

Ceridono, Victoria
  Dia de Beauté : um guia de maquiagem para a vida real / Victoria Ceridono. – 1ª ed. – São Paulo : Paralela, 2015.

  ISBN 978-85-8439-013-4

  1. Beleza – Cuidados 2. Beleza física (Estética) 3. Cosméticos – Estudos de caso 4. Maquiagem I. Título

15-07045   CDD-646.72

Índice para catálogo sistemático:

  1. Maquiagem : Estudos de uso : Cuidados pessoais 646.72

2ª reimpressão

[2015]
Todos os direitos desta edição reservados à
EDITORA SCHWARCZ S.A.
Rua Bandeira Paulista, 702, cj. 32
04532-002 — São Paulo — SP
Telefone (11) 3707-3500
Fax (11) 3707-3501
www.editoraparalela.com.br
atendimentoaoleitor@editoraparalela.com.br

para minhas leitoras

Sumário

PREFÁCIO	11
INTRODUÇÃO → nada de pular, hein!	15
1. TODO DIA É DIA	20
Como ler este livro	22
Os meus truques "carta na manga"	23
Lidando com seus "defeitos"	24
Dicas preferidas	26
Mapa do rosto	27
O treino diário da maquiagem	28
2. EQUIPAMENTOS	32
Pincel x dedo	34
Guia dos pincéis	37
Outros equipamentos	40
Cuidados e manutenção	42
Montando seu kit de maquiagem → ou kits!	44
3. PELE	52
Cuidando da sua pele	54
Qual é a sua? → bem possível que você responda oleosa...	55
Pesadelo nacional: pele oleosa	56
Base de tudo	58
Hora do blush	62
Passo a passo #1: pele básica em cinco passos	66
Pele elaborada	68
Passo a passo #2: pele elaborada → para ocasiões especiais	70
De olheira a olheira	72
Passo a passo #3: make básico do dia a dia	76
A tendência do "make nada"	78

Dica: do jeito mais divertido possível!

Aplicação intuitiva

um ar de saúde aí?

mais é menos ou menos é mais?

4. OLHOS — 82

- Sobrancelhas — 84
- Passo a passo #4: sobrancelhas definidas — 85
- Sombras, lápis e afins → *tantas opções* — 86
- Sobre cores — 88
- Arco-íris — 89
- Passo a passo #5: olho express → *dá até para fazer no escuro* — 92
- Passo a passo #6: esfumado curinga — 94
- Delineador → VALE A PENA TREINAR O GATINHO — 96
- Passo a passo #7: delineador básico — 98
- Culinária & maquiagem: um paralelo curioso — 102
- Passo a passo #8: olho preto sem complicação — 104
- Cílios → *um detalhe que muda* TUDO — 106
- Passo a passo #9: cílios com emoção — 108
- Passo a passo #10: cílios postiços sem dificuldade — 112

5. BOCA — 116

- As opções — 118
- Acabamentos — 119
- Com que cor eu vou? — 120
- Passo a passo #11: make dia com batom vibrante → ADORO! — 122
- Se você vai usar corretivo (ou base) como batom — 123
- Aplicação — 124
- Passo a passo #12: a boca "manchadinha" — 125 *(Testado e aprovado pela editora!)*
- Passo a passo #13: para fazer durar — 126
- Passo a passo #14: make noite com batom vibrante — 128
- Quem tem boca vai a Roma → QUEM TEM MEDO DE BATOM VIBRANTE? — 130

6. NA PRÁTICA — 134

- Inspire-se — 136
- Soluções express para problinhas da *beauté* → *maquiagem faz milagres!* — 138
- Rotina pós-make — 140

7. PASSAPORTE *BEAUTÉ* — 146

- No avião — 148
- O nécessaire da mala de mão — 149
- Na mala — 150
- Checklist — 151
- Como comprar em viagens → É SEMPRE DIFÍCIL RESISTIR... — 152
- Maquiagem é uma viagem — 154

AGRADECIMENTOS — 156

Prefácio

Uma das maiores qualidades de Victoria Ceridono é que ela faz tudo parecer fácil. Tudo mesmo. Construir um blog de sucesso enquanto editava a seção de beleza da *Vogue* para ela foi tão natural e leve quanto a época em que maquiava as amigas (e amigas das amigas) ao mesmo tempo em que estudava e estagiava. Com ela nunca tem tempo feio, Vic faz malabarismos impensáveis com a graça de uma bailarina. Essa habilidade de descomplicar é, talvez, seu maior trunfo também na hora de maquiar — e ensinar a maquiar. Vic improvisa, usa dedo ou pincel, ressuscita a máscara que estava mortinha de tão seca, é a rainha dos produtos multiuso, conhece o creme mais sofisticado à base de caviar e diamante, mas também aquele que vende em farmácia, custa pouco e opera milagres.

Outra qualidade de Vic que explica um pouco por que ela se tornou referência quando o assunto é maquiagem até por gente (como eu) que morre de medo de ir além do combo batom-base-máscara sem a ajuda de um profissional é que ela é uma festeira nata. Explico: poucas coisas na vida são tão *learning by doing* quanto maquiagem. Só a prática leva à excelência, e Victoria praticou muito. Em si própria, depois nas amigas, continua praticando — aliás, qualquer pessoa que acompanha seu blog ou a segue no Instagram já deve ter reparado que ela não para quieta, vai a casamentos em todos os continentes, e sempre está com aquele make que todo mundo bate palmas (com *emojis* ou sem).

Por isso, quando ela contou que escreveria um livro reunindo as dicas de maquiagem que deu ao longo desses anos no blog Dia de Beauté, na *Vogue* e em consultas telefônicas desesperadas de amigas que não acertavam o esfumado, tive certeza de que seria sucesso. Mais que isso: comecei a desejar ardentemente que ficasse pronto logo. Para, quem sabe, eu finalmente perder o medo de fazer uma sombra sozinha, ou tentar um *contour* sem medo. Ainda não li todas as páginas deste livro que você tem em mãos, mas sei que estava certa na minha premonição. Ágil, descomplicado, muito bem feito, bonito, inteligente. Como a Victoria, este livro faz qualquer coisa parecer fácil. Até maquiagem.

Daniela Falcão
Diretora de redação da *Vogue Brasil*

Introdução

Sou apaixonada por maquiagem desde que consigo me lembrar. Adoro tudo relacionado a beleza, esses rituais que nos fazem sentir melhor na hora (e depois também). Quando era pequena, amava invadir o banheiro da minha avó com minha irmã e minha prima para brincar com as maquiagens que ficavam em uma fascinante caixa verde. Um pouco mais velha, me divertia com as amigas fazendo "dias de *beauté*" com máscaras caseiras, pepinos nos olhos e sessões de make antes das festinhas (eu maquiava todo mundo e nunca sobrava tempo para mim!). Sempre acreditei no poder transformador desses momentos para o visual, claro, mas também para o emocional — tão importante quanto.

Foi pensando nisso que lancei meu blog, o Dia de Beauté, em 2007. O objetivo sempre foi inspirar e mostrar como pequenos gestos podem tornar o dia mais especial, e, acima de tudo, desmistificar a maquiagem mostrando que alguns passos simples já fazem a maior diferença no seu rosto, no seu humor, na sua autoestima. Sem precisar gastar várias horas (quem tem tempo hoje em dia?) ou ter mil e um produtos à disposição. Maquiagem é uma coisa mágica, uma aliada incrível, que não precisa ser difícil ou ultraelaborada para dar um bom efeito, muito menos algo que você deixa para usar só em ocasiões especiais. Há muito a ser explorado entre um rosto lavado e um ultramaquiado, e é isso que quero mostrar nas próximas páginas.

Sou jornalista de beleza desde 2005 e continuo aprendendo coisas novas o tempo todo, truques, técnicas, produtos — esses ensinamentos vêm de todos os lados, dos maquiadores mais incríveis do mundo, das leitoras e até de amigas que não ligam a mínima para maquiagem, e justamente por isso costumam ser ótimas inspirações. Uma coisa é certa: impossível ditar regras e impor limites quando o assunto pede liberdade e espaço para experimentar. Por isso, mais do que ser "o guia definitivo da maquiagem", a ideia deste livro é inspirar e despertar a vontade de mergulhar nesse fantástico universo, sendo você uma iniciante, uma obcecada, uma pessoa em busca de dicas para sair da rotina, até uma não interessada que sem querer se deparou com este livro nas mãos!

Continuo sem acreditar que o sonho de escrever um livro se tornou realidade. Dizem que a ficha só cai mesmo quando você o vê em alguma livraria... Mal posso esperar para isso acontecer, e para saber o que você, que já conhecia o Dia de Beauté ou que acabou de chegar, vai achar. E não se esqueça: se o make não ficar como você queria, basta tirar e começar de novo. Essa é uma das melhores partes.

Alguém duvida de que quase nada é tão legal quanto maquiagem?

Maquiagem
é uma
coisa mágica

Todo dia é dia

Seja você uma louca por maquiagem ou alguém que está apenas começando nesse universo, todo dia pode ser um dia de *beauté*! Para entrar no clima, alguns conceitos que norteiam este livro e que valem a reflexão.

TRUQUES E PRODUTOS
"CARTAS NA MANGA" P. 23

COMO LER ESTE LIVRO?
VEJA JÁ JÁ NA P. 22

Adotando o treino diário P. 28

COMO LER ESTE LIVRO

Não gosto de regras, de "tem que fazer isso", de perfeição, de maquiagens que são uma fórmula pronta. Há uma infinidade de maneiras de se maquiar, e o objetivo deste livro é acima de tudo despertar a vontade em cada um e incentivar a descobrir as suas técnicas favoritas, o que funciona em você, os produtos que formam o seu kit básico.

Não tem preço se virar sozinha e saber fazer tanto uma maquiagem simples de dia a dia quanto uma superelaborada para uma festa especial — e tudo o mais que existe entre esses dois extremos! Afinal, há mil possibilidades entre uma cara lavada e uma maquiagem completa e quase exagerada.

Acredito que mais do que saber fórmulas fechadas — o make para jantar, o da festa de formatura, o da madrinha de casamento... —, o ideal é você dominar uma gama de técnicas e looks que pode mesclar, incrementar, mudar os tons de acordo com a ocasião, a vontade e a necessidade.

Por isso, os "Passo a passo" do livro não são sempre makes completos, para incentivar um tipo de "mix & match" da beleza.

Perfeição é outro conceito que me incomoda um pouco, simplesmente porque ela não existe — e por vezes acaba sendo uma barreira que nos impede de tentar, já que não vai ficar perfeito... Não se prenda a isso.

Também não gosto de ordem, então sinta-se à vontade para ler este livro na ordem que desejar, pulando os textos mais longos (mas volte para ler depois!), indo direto para o passo a passo do olho esfumado, pegando só as dicas rápidas, discordando das listas de kit básico e avançado... Vale tudo, esse é o espírito!

Descubra os seus!

OS MEUS TRUQUES "CARTA NA MANGA"
Porque às vezes não há tempo para criar,
é preciso apostar naquilo que você faz rápido,
certeiro e com impacto

- FAZER A PELE SÓ COM CORRETIVO E BLUSH
- USAR DELINEADOR FINO E GATINHO
- MUITO RÍMEL
- USAR UM LÁPIS GORDINHO DE TOM ESCURO PARA UM ESFUMADO EXPRESS
- SOMBRA BEM BRILHOSA PARA EFEITO FESTA IMEDIATO
- PASSAR CORRETIVO NA BOCA PARA DAR UMA APAGADINHA
- BATOM VERMELHO, MÁXIMO IMPACTO COM MÍNIMO ESFORÇO

LIDANDO COM SEUS "defeitos"

Difícil (para não dizer impossível) ouvir uma mulher dizer "não há nada que me incomode na minha aparência". Já na hora de listar os defeitos, nem precisa pedir: fico impressionada com a quantidade de mulheres que me escrevem reclamando dos seus e perguntando como fazer para resolver aquelas questões.

Ninguém é perfeito, mas isso nem vem ao caso. Não estou dizendo que toda mulher deveria ter a autoestima nas galáxias e se achar maravilhosa, mas já ajudaria muito parar de procurar e se incomodar excessivamente com esses "defeitos" — entre aspas mesmo —, que, tantas vezes, só nós enxergamos.

Em vez de gastar energia com essa negatividade, por que não focar em estudar seus pontos fortes e aprender a valorizá-los? Essa é uma das coisas que mais amo na maquiagem: ela permite realçar o que temos de bom e disfarçar o que não é incrível com alguns poucos gestos. É impossível não se sentir mais segura e bonita desse jeito!

DICAS NÃO FALTAM E, PARA QUEM QUER IR DIRETO A ELAS, AQUI ESTÃO AS MINHAS PREFERIDAS:

1. Exagerou no blush? Tire o excesso com o pincel usado na base (sem adicionar mais produto) para suavizar a cor e esfumar as bordas. Veja aplicações na p. 65.

2. Depois de aplicar o blush, aproveite o restinho no pincel para sombrear suavemente as pálpebras. Veja aplicações na p. 92.

3. Se seus cílios são retos e tombam depois do curvex, curve, passe uma camada bem leve de rímel e espere secar para segurar. E só então adicione mais e mais camadas. Veja na p. 41.

4. Experimente vários ângulos e comprimentos de delineador até achar o traçado ideal para você. Se quiser fazer um traço certinho com lápis, lembre-se de deixar a ponta bem apontada. Veja na p. 98.

5. Não tem a mão firme e quer fazer um delineado gatinho? Cole um pedacinho de fita adesiva (vale até um curativo cortado) no canto externo do olho, no ângulo que você deseja. Então faça o traço na pele logo acima: a fita funciona como uma régua! Tire depois que estiver bem seco. Veja mais dicas na p. 98.

6. Misture! Base com hidratante, base com *primer* iluminador, base com base, corretivo com hidratante, batons de várias cores, sombras... Você pode multiplicar as opções de efeitos e cores dos seus produtos. Outras dicas de usos do hidratante para melhorar sua vida estão na p. 139.

7. Se você faz a maior bagunça na hora do "esfumadão" preto, deixe para fazer a pele depois que terminar o olho. Outras dicas de esfumado estão na p. 92.

8. Tenha cotonetes sempre por perto. Eles são os melhores amigos na hora de corrigir eventuais borrões e ajudam a dar um acabamento perfeito. Veja mais dicas sobre como consertar traços na p. 97.

9. Preste atenção à luz do lugar onde está se maquiando. Se for escuro e não tiver alternativa (uma janela com luz natural, um abajur com lâmpada mais intensa), tenha em mente que na claridade seu make ficará mais forte, portanto pegue leve. Veja também como organizar sua bancada na p. 48.

10. Para conferir se cobriu direitinho as olheiras, coloque a mão na altura das sobrancelhas (como fazemos para proteger os olhos da luz do sol) e as observe na sombra. Se ainda estiverem muito escuras e marcadas, é sinal de que ainda dá para aplicar um pouco mais de corretivo. Mas para diminuir mesmo o estresse com olheiras, a p. 74 tem um recado MARA!

MAPA DO ROSTO

Para você localizar e entender quando falamos sobre o côncavo, têmporas e afins, aqui está um mapa do rosto:

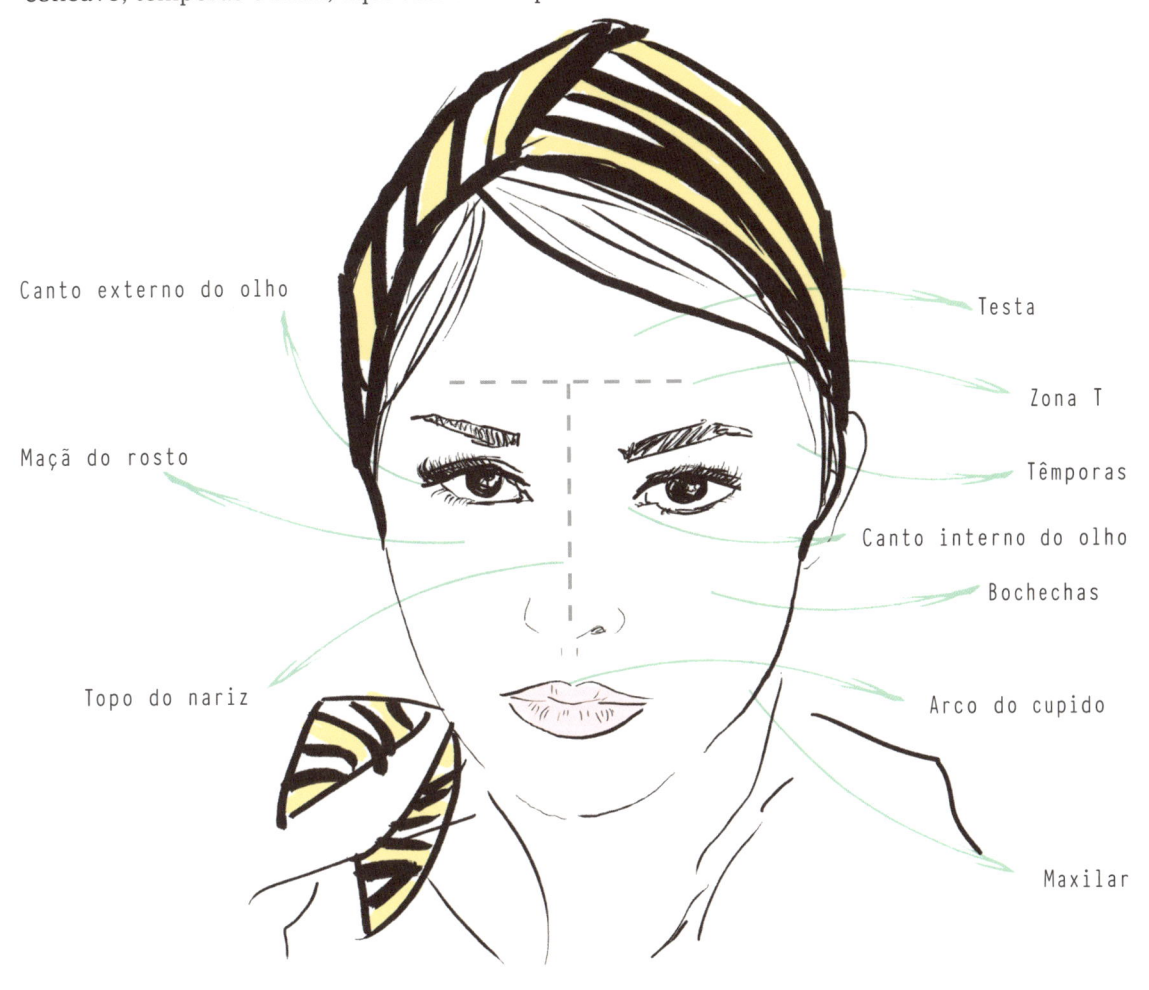

- Canto externo do olho
- Maçã do rosto
- Topo do nariz
- Testa
- Zona T
- Têmporas
- Canto interno do olho
- Bochechas
- Arco do cupido
- Maxilar

E um destaque para os olhos:

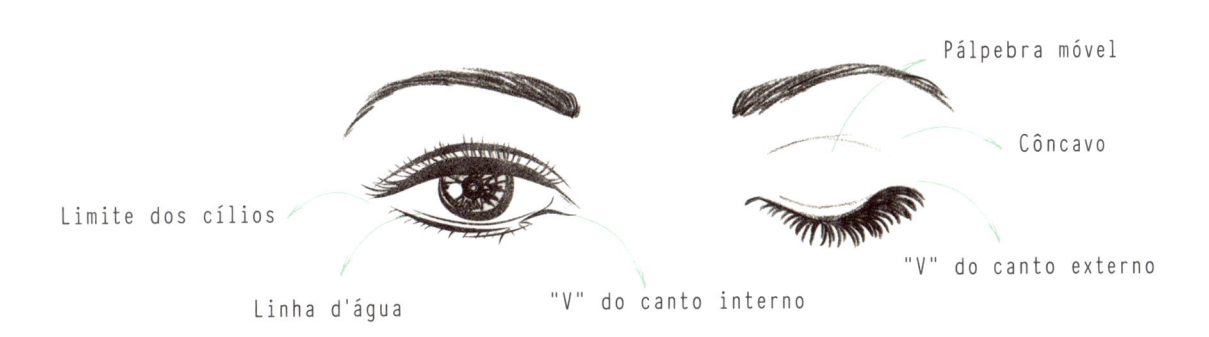

- Limite dos cílios
- Linha d'água
- "V" do canto interno
- Pálpebra móvel
- Côncavo
- "V" do canto externo

TODO DIA É DIA

O TREINO DIÁRIO DA maquiagem

Imagine a cena: você raramente usa maquiagem; se usa, nunca sai do básico — algo tipo pó, rímel e batom, digamos. Aí, aparece uma festa bacana e você decide: é o dia de experimentar aquele delineado gatinho, ou arrasar com um olhão preto esfumado, ou usar batom vermelho pela primeira vez!

Então, uma hora antes de sair de casa, você vai se aventurar. Bem, digamos que a chance de dar bobagem é alta. Não que eu não incentive experimentações, muito pelo contrário! Mas é mais difícil chegar no resultado desejado quando você tem zero hábito de se maquiar com frequência.

Um dos segredos da automaquiagem é ter total intimidade com o próprio rosto — e isso você conquista de duas maneiras: com a rotina e com a prática, que podem ou não ser a mesma coisa.

A ROTINA

Se você já está acostumada a usar um mínimo de maquiagem todo dia, sempre pode se animar a incluir novos elementos nessa equação — coisas não muito trabalhosas, mas que deem um efeito legal. Uma simples sombra marrom, por exemplo. Mesmo que não faça um olhão esfumado, com o tempo acaba entendendo até onde a sombra deve ir para valorizar seus olhos e o uso do pincel. Toda essa noção vai tornar muito mais fácil a missão de fazer o esfumado dramático quando chegar a hora.

A PRÁTICA

Vamos supor que você não quer sair de delineador gatinho todo dia, mas sonha em dominar a técnica para usar em certas ocasiões.

Aí, entra a prática: nada impede que você, antes de tirar a maquiagem toda noite, treine o gatinho até pegar o jeito. Vale para outros momentos também — quando eu estava na escola, tinha uma tarde livre na semana e era o "dia de maquiar". Eu passava horas brincando, testando, sem nenhum compromisso. E esse é o ponto mesmo: sem pressão, com o único intuito de aumentar suas habilidades. Funciona demais!

2

Equipamentos

Pincéis, esponjas, curvex, escovinha, apontador, pinça... Embora não sejam tão divertidas quanto sombras e batons, essas ferramentas podem ser fundamentais em várias etapas da maquiagem.

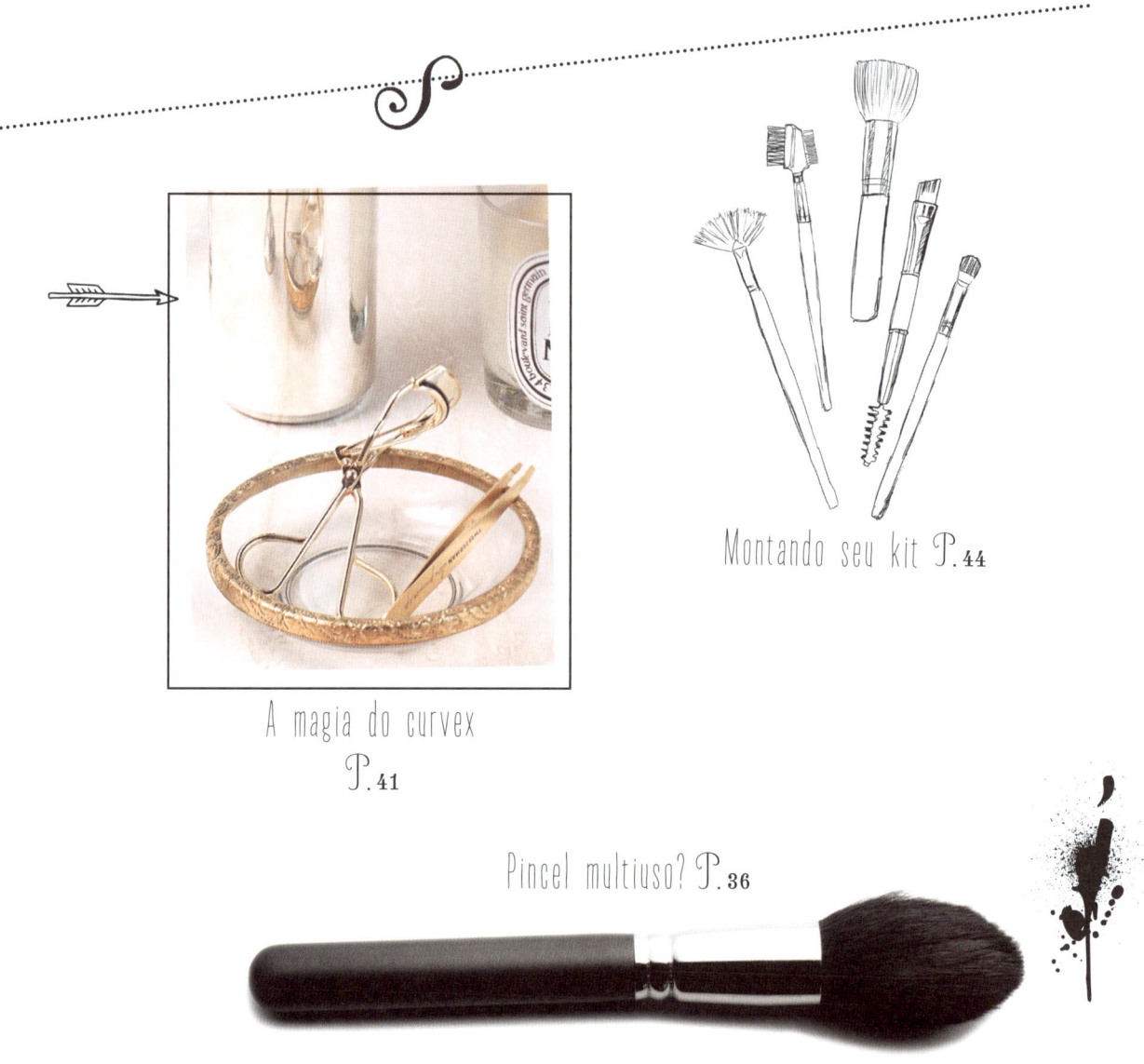

Montando seu kit P.44

A magia do curvex P.41

Pincel multiuso? P.36

PINCEL X DEDO

Tem quem ache que sem pincéis é impossível fazer uma maquiagem bonita — eu definitivamente não faço parte desse grupo. É claro que amo pincéis, tenho vários, uso todos os dias e recomendo montar um kit com os básicos, que ajudam bastante no processo de se maquiar (mais sobre isso nas próximas páginas!). Mas existe uma ótima alternativa que às vezes fica esquecida: os dedos. Considere que são ferramentas que já vêm de fábrica, que não têm custo e cujo uso é totalmente intuitivo. Aplicar base usando os dedos, por exemplo, é tão simples quanto passar um hidratante no rosto. Borrar o traço do lápis com a ponta do dedo, arrumar o esfumado, depositar sombra, passar blush cremoso, batom... Esse contato direto entre dedo, maquiagem e rosto traz certa intimidade ao processo que é muito bem-vinda — isso sem falar no benefício do calor do toque, que ajuda a mesclar o produto na pele, tornando o resultado mais natural.

Para mim, o ideal é usar os dois, um complementando o outro. Às vezes espalho a base no rosto com os dedos e dou o acabamento com o pincel. Ou faço um esfumado só usando lápis e sombras cremosas, aplicadas com o dedo, e depois arrumo com pincel e um pouco de sombra em pó. Ou faço tudo com pincel e apenas arrumo com o dedo, para um acabamento menos perfeito — as opções são MUITAS.

Portanto, não se prenda aos pincéis — nem (pecado!) pense que precisa de um kit enorme e profissional para poder começar a se maquiar!

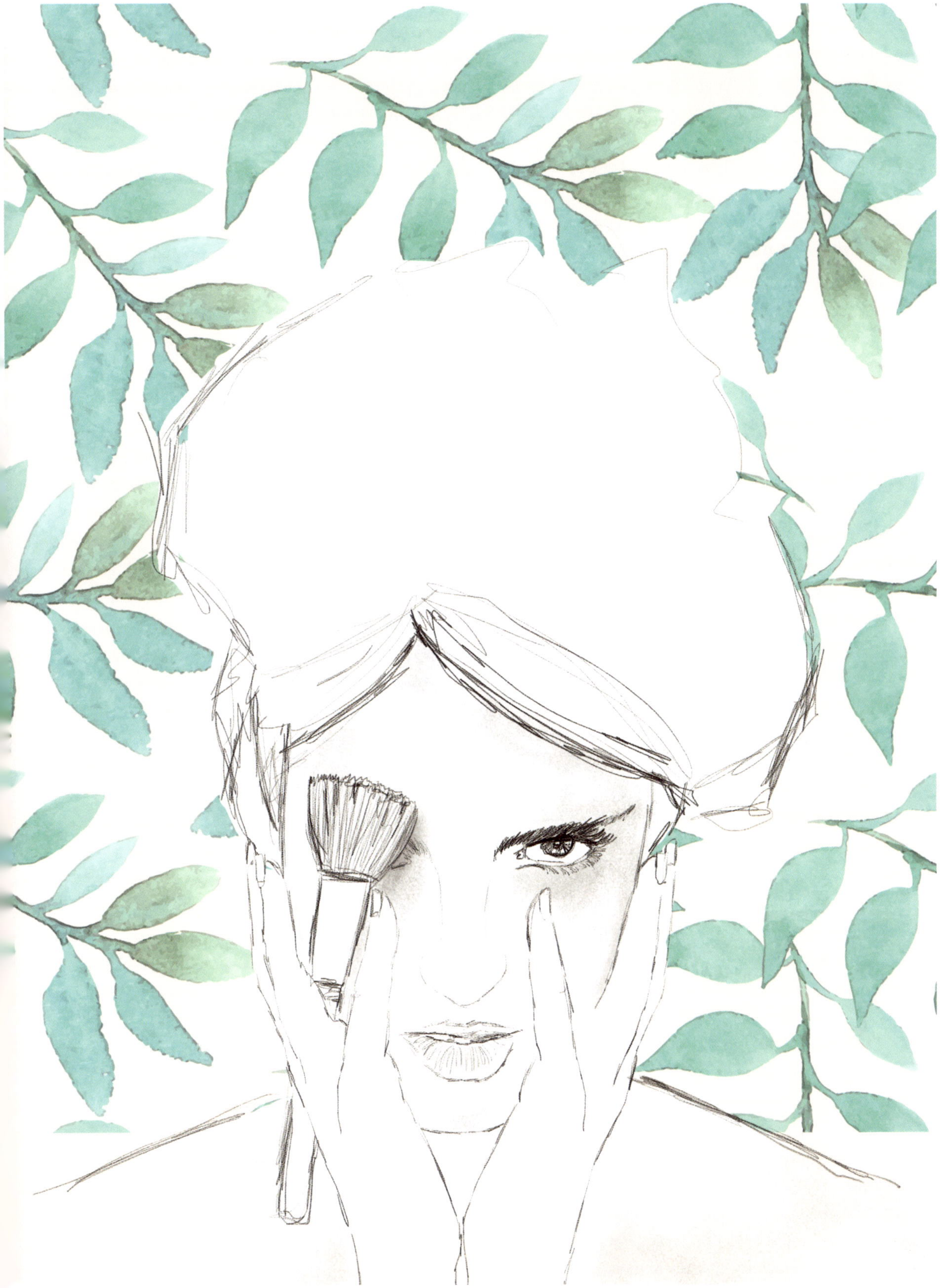

Pincéis

Bons pincéis podem ajudar bastante na hora da maquiagem, facilitando o processo — alguns parecem espalhar/esfumar praticamente sozinhos! — facilitando o processo e refinando o acabamento, para um resultado mais profissional.

De cerdas naturais ou sintéticas e com formatos variados (grande, pequeno, fino, achatado, gordinho, pontudo...), alguns exercem funções mais específicas; por isso, considere qual será o uso deles antes de comprar, para não correr o risco de ter um pincel "interessante" que não serve para você.

Fique atenta a alguns detalhes:

ANTES DE COMPRAR

- Sinta as cerdas passando o pincel de leve na pele como se estivesse se maquiando: elas devem ser delicadas e macias, nada que agrida ou irrite o rosto.

- Passe o dedo nos pelinhos para conferir se eles soltam com facilidade — é um inconveniente ter de ficar caçando fiozinho de pincel no rosto depois de fazer o make.

- Saiba que pincéis mais *fofos* aplicam o produto de forma mais difusa e suave, enquanto os mais *densos* são mais precisos e depositam mais produto. Escolha de acordo com o efeito que deseja.

- E como saber qual tamanho de pincel você precisa? Pense na área em que quer trabalhar: quanto maior a área, maior pode ser o pincel. Isso serve tanto para o rosto quanto para o olho.

- Na dúvida entre cerdas naturais e sintéticas? A princípio, as naturais são ideais para aplicar produtos em pó, enquanto as sintéticas funcionam bem com fórmulas cremosas e líquidas. Mas você sabe: não é regra,* dá para fazer o contrário também!

*Dizer que não tem regra não é papinho: já vi maquiadores usarem pincel de esfumar sombra para aplicar batom, pincel de delineador para aplicar corretivo, pincel de blush para aplicar sombra... Não se sinta presa às definições e experimente com os seus para descobrir novos usos e efeitos.

Pincel de pó ou bronzeador

Pincel de base

Pincel de base ou blush cremoso

Pincel de blush, contorno ou iluminador

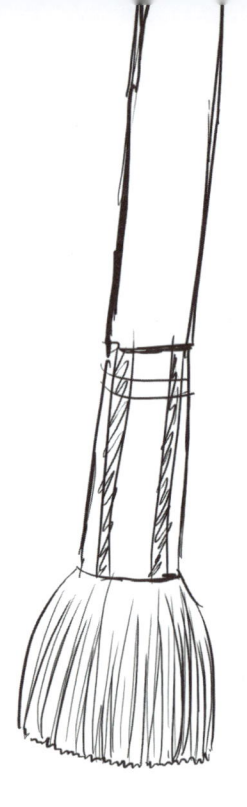

PINCÉIS BÁSICOS E VERSÁTEIS QUE SÃO UM BOM PONTO DE PARTIDA PARA MONTAR SEU KIT

PARA O ROSTO...

... BASE
Entre as opções de pincel de base, meu favorito é o de formato arredondado, que utilizo fazendo movimentos circulares para uma aplicação sem falhas e totalmente uniforme.

... BLUSH
Com tamanho menor, formato chanfrado e mais denso, encaixa bem na maçã do rosto e também é indicado para fazer contorno e aplicar iluminador. Outra opção é um pincel também de tamanho menor, porém mais fofo, para um efeito mais difuso.

... PÓ BRONZEADOR
Para forjar um ar levemente bronzeado, a ideia é aplicar esse pó em uma região mais ampla do rosto que o blush — bochechas, testa, topo do nariz e centro do queixo —, mas sem exagerar na quantidade. Logo, um pincel grande e fofo é o ideal.

... PÓ
Há duas boas opções: um pincel bem grande e fofo, com cerdas macias e ponta arredondada, espalha bem o pó finalizador e cobre uma parte maior do rosto — costuma ser o favorito de quem tem pele oleosa. Já um pincel bem menor, mas também fofo, garante aplicação mais precisa, embora ainda difusa: perfeito para quem quer usar o pó finalizador apenas em pequenas partes do rosto.

... CORRETIVO
Aqui também há algumas variações de tamanho, e sua necessidade vai ditar o eleito: os pincéis maiores funcionam bem para cobrir olheiras e manchas, enquanto os pequeninos são indicados para uma correção pontual, como a de espinhas.

Às vezes, basta um pincel para exercer essas três funções.

PARA OS OLHOS...
... DELINEADOR OU SOBRANCELHA
Cerdas curtas e firmes ajudam a dar controle na hora de fazer o traço do delineador, além de também definir e preencher as sobrancelhas. O formato chanfrado facilita a aplicação, podendo ser usado também na hora de delinear, especialmente na aplicação de delineadores em gel.

... SOMBRA — DEPOSITAR
Sua largura é suficiente para cobrir toda a pálpebra móvel com algumas pinceladas, seja com um movimento vaivém, seja dando leves batidinhas. Para definir melhor alguma região, por exemplo, o côncavo, use sua ponta.

... SOMBRA — ESFUMAR SUAVE
Com tamanho maior, cerdas fofas e ponta arredondada, é ideal para esfumados mais sutis e amplos, como o contorno suave do côncavo. Também é ótimo para dar o toque final, mesclando as cores e eliminando qualquer borda mal-acabada para um *dégradé* perfeito.

... SOMBRA — ESFUMAR INTENSO
Pequeno, achatado e denso, é seu aliado na hora de esfumar um traço de lápis ou mesmo aplicar uma sombra de forma mais marcada. Por causa do tamanho, é a melhor pedida para trabalhar rente aos cílios inferiores. Ele pode ser uma versão menor e mais achatada do pincel de depositar ou ter formato pontudo como o de um lápis.

PARA A BOCA...
... DE BATOM
Bem achatado, com cerdas firmes e formato pontudo, permite uma aplicação precisa de batom nos lábios, com contorno perfeito.

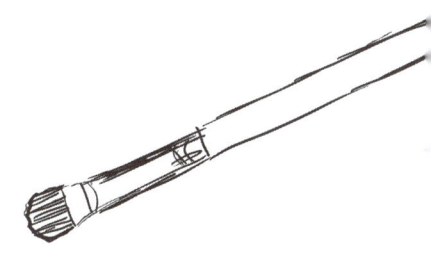

Outros equipamentos

1. Esponjas   A esponja que vem com a base em pó ou com o pó finalizador compacto facilita a aplicação e é uma mão na roda se você precisa retocar ao longo do dia — só tome cuidado para não pesar a mão, já que ela tende a depositar bastante produto.

Já a esponja gordinha em forma de gota pode ser usada umedecida para aplicar a base — com resultado bem bonito — ou ainda seca para dar uma segunda polida na pele depois do pincel. Aproveite a ponta para alcançar áreas mais difíceis, como o cantinho do nariz.

2. APONTADOR DE LÁPIS Para fazer traços com precisão, seu lápis precisa estar superbem apontado. Escolha um com duas aberturas: uma para lápis comuns e outra para os mais gordinhos.

3. ESCOVINHA DE SOBRANCELHA Escolha entre aquela que parece uma escovinha de rímel ou a que lembra uma escova de dente menos espessa ou o pentinho, que também funciona para separar os cílios.

4. PINÇA Vale investir um pouco mais em uma boa pinça, com ponta precisa e boa pegada. Você vai usá-la para tirar pelinhos fora do desenho da sobrancelha e para ajudar na aplicação de cílios postiços.

5. CURVEX Algumas mulheres não vivem sem curvex (Como eu! Prefiro passar apenas curvex sem rímel a passar rímel sem curvex, já que em mim o resultado é mais eficaz). Algumas não entendem a necessidade, mas ficam intrigadas. Já os homens costumam se referir a ele como: "Ah, aquele instrumento de tortura?". Afinal, qual é a do curvex?

Se você nasceu com abençoados cílios já curvados, ou que se curvam facilmente na hora que aplica um rímel, você (que tem sorte) pode tranquilamente pular essa etapa.

Para quem é do meu time — o dos cílios retos e teimosos — o efeito do rímel nunca será tão bom quanto depois de curvar os benditos. Nesse caso, aqui vão algumas dicas:

MODO DE USAR → **O CURVEX**

- Escolha um curvex de qualidade, com pegada precisa, borrachinha firme e que encaixe bem no seu olho. Eu prefiro a versão clássica de metal com forma de "tesoura".

- O segredo para conseguir uma aparência de curvatura natural (e não de cílios esmagados) é posicionar a borrachinha o mais próximo possível da base dos cílios. Se perceber que algum fio ficou de fora, abra o curvex e ajeite com o dedo.

- Pressione por alguns segundos, solte, verifique o resultado e, se precisar, repita algumas vezes.

- Evite curvar depois do rímel: pode quebrar os cílios. O ideal é caprichar na curvatura antes. Se seus cílios são do tipo que tombam, experimente passar uma camada leve de rímel depois de curvar e espere secar antes de acrescentar mais, pois isso vai fixar a curva no lugar. Outra opção é apelar para rímeis à prova d'água, que também seguram a curva.

- Infelizmente, o curvex não é eterno como o pincel! Mesmo que ele pareça novo, com o tempo, perde a pegada, a borrachinha vai abrindo e é preciso trocá-lo.

CUIDADOS e MANUTENÇÃO

PINCÉIS

Armazene seus pincéis em um lugar limpo e longe de umidade. De preferência, lave as cerdas mensalmente — recomendo fazer um "mutirão da limpeza" e lavar todos de uma vez só, para otimizar o processo. Use um sabonete específico ou xampu neutro (os de bebês são ótimos para isso), umedeça as cerdas e passe no produto, fazendo movimentos circulares na palma da mão. Quando estiverem limpos, enxágue, organize as cerdas e deixe-os secar horizontalmente sobre uma toalha.

Há também as soluções higienizadoras e os lencinhos demaquilantes próprios para pincéis — esses são bons para dar aquele "tapa" entre as limpezas, especialmente se você tiver usado uma sombra muito escura ou colorida e quiser aplicar uma mais neutra, por exemplo. Esses produtos tiram o grosso e secam rápido. Você pode borrifar direto nas cerdas e limpar fazendo movimentos circulares em uma toalha (que fica toda suja depois, coitada!) ou lenço de papel.

Se cuidar bem de seus pincéis, eles duram a vida toda!

ESPONJAS

As esponjas de boa qualidade podem ser lavadas várias vezes até que você tenha de aposentá-las. Já as mais simples e baratinhas são também mais descartáveis. O processo de limpeza é o mesmo dos pincéis.

CURVEX

Muita atenção com a borrachinha do seu curvex: ela garante que os cílios sejam curvados, e não cortados (ai!). Portanto, assim que notar que ela está começando a se desgastar (o vinco onde o curvex pressiona fica cada vez mais fundo), é hora de trocá-la pela que vem junto como refil — quando a segunda borrachinha também fica ruim, costuma ser hora de comprar um novo.

PINÇA

Com o uso, a ponta da pinça fica cada vez menos afiada, tornando mais difícil a tarefa de agarrar e arrancar pelinhos. Cubra sempre a ponta com a capinha de borracha que vem com ela para proteger e, de tempos em tempos, leve até um especialista para afiar.

Maquiagem no geral

Sim, maquiagem tem data de validade, e usar um produto vencido pode causar alergia, irritação, infecções etc. Por outro lado, se você cuida bem e armazena longe de umidade e calor, ela pode durar mais que a validade padrão: cerca de três meses para rímel, seis meses para base e doze meses para batom, lápis e pós em geral. Meu conselho? Fique sempre atenta a mudanças na textura, na cor e no cheiro dos seus itens de maquiagem — se notar alguma diferença, jogue-os fora na mesma hora.

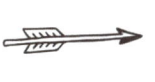

→ OS EQUIPAMENTOS DEVEM ESTAR EM SUA MELHOR FORMA PARA GARANTIR UMA BOA PERFORMANCE. CUIDE BEM DELES!

EQUIPAMENTOS

MONTANDO SEU KIT DE MAQUIAGEM

"Quais produtos eu preciso ter?" Essa é uma das dúvidas mais comuns entre quem começa a se aventurar nesse mundo — compreensível, já que existe uma infinidade de opções disponíveis e montar um kit básico pode ser mais difícil do que parece. A lista abaixo serve como ponto de partida, mas tenha em mente que ela não é fechada: é possível adaptá-la de acordo com seus gostos e necessidades. Nada é obrigatório e vale incluir outros produtos que sejam básicos para você!

1. KIT BÁSICO DO BÁSICO

- Base líquida de cobertura "construível", que funcione bem tanto de dia quanto à noite
- Corretivo
- Pó translúcido solto ou compacto
- Blush
- Lápis 1 (marrom ou preto)
- Lápis 2 (clarinho ou colorido)
- Sombra *
- Rímel
- Batom 1
- Batom 2
- *Gloss*
- Pincel de blush (vale usar para pó também)
- Pincel de sombra 1 (maior e fofo para espalhar e fazer o côncavo)
- Pincel de sombra 2 (menor e preciso para detalhes)

* Duos, trios ou paletas de sombra são boas alternativas

EQUIPAMENTOS

Alguns dos itens do kit básico podem não ser tão interessantes para você, enquanto alguns produtos que ama de paixão podem estar na lista número 2. A ideia aqui é ajudar a elencar suas prioridades!

A dica dos duos, trios e paletas também se aplica aqui!

2. COMPLEMENTANDO SEU KIT

- BB ou CC cream
- *Primer*
- Base 2 (mais leve ou com mais cobertura que sua primeira)
- Corretivo mais claro para contorno
- Blush marrom específico para contorno
- Blush 2 (noturno, mais intenso e com brilho)
- Blush cremoso
- Pó bronzeador
- Iluminador
- Lápis marrom ou preto (o que você ainda não tiver)
- Lápis nude
- Delineador preto
- Sombra 2 (marrom intensa ou preta)
- Sombra 3 (escura de outro tom, como azul-marinho ou berinjela)
- Sombra 4 (bem brilhosa, pode ser cremosa)
- Rímel 2 (com efeito mais dramático)
- Lápis de sobrancelha
- Batom 3 (comece a brincar com as cores!)
- Pincel de base
- Pincel de corretivo
- Pincel de contorno
- Pincel de pó
- Pincel de sombra 3 (médio, para depositar)
- Pincel de sombra 4 (chanfrado fininho, para traços)
- Cílios postiços

EQUIPAMENTOS

E aproveitando o "momento listas",
aqui vão ideias para montar o kit retoque:

3. KIT RETOQUE DO DIA A DIA

Os salva-vidas para renovar a maquiagem ao longo do dia — ou transformar o look em noite em poucas etapas. Vale deixar na bolsa, na gaveta do trabalho, no carro, na mochila da academia...

- Corretivo
- Pó compacto
- Blush
- Rímel
- Lápis marrom ou preto
- Sombra brilhosa
- *Lip balm*
- Batom

Um pincel com cerdas fofas e cabo menor não ocupa tanto espaço e pode ser usado para aplicar ambos.

4. KIT BALADA

Para eventos de noite, baladas e jantares, geralmente você vai usar uma bolsa que já é pequena, então leve o mínimo necessário para retocar a produção da noite.

- Batom que estiver usando
- Rímel
- Corretivo
- Lencinho para tirar a oleosidade
- Pó compacto
- Perfume *roll-on*

EQUIPAMENTOS

ORGANIZANDO SUA BANCADA

Não menospreze a importância de ter seu cantinho de maquiagem organizado: facilita e otimiza o processo de se maquiar no dia a dia, além de deixar os produtos à mostra para você não se esquecer do que tem e acabar usando toda vez a mesma coisa (e sempre fazer o mesmo look!).

Aproveite da melhor maneira o espaço que você tem — mesmo que ele não comporte uma penteadeira cheia de gavetas e divisórias! Lembrando que não é ideal guardar maquiagens no banheiro por conta do calor e da umidade, então prefira abrir um cantinho no armário ou separar um pedaço de alguma mesa que tenha no quarto.

Algumas soluções que funcionam:

- Se for manter os produtos em cima de uma mesa ou superfície qualquer, caixas altas com várias gavetas e divisórias otimizam o espaço e permitem guardar vários produtos (Adoro caixas de acrílico, dá para ver o que tem dentro!).

- Se for guardar em gavetas, procure colocar algumas caixinhas menores ou mandar fazer divisórias para deixar tudo mais organizado.

- Quando o espaço é pequeno, ou até em viagens, use vários nécessaires menores em vez de um gigante com tudo, pois assim você consegue separar por temas e não se perde: um para olhos, um para pele, um de batons.

- O mesmo vale para as caixas e gavetas: separe por temas para facilitar na hora de encontrar o que precisa.

- Quem tem vários produtos, mas prefere usar sempre os mesmos no dia a dia por causa da pressa, pode deixar esse kit básico mais acessível em uma caixinha ou divisão própria.

- Use copinhos e potinhos para guardar pincéis, lápis e rímeis.

- Se possível, guarde os batons com o "bumbum" para cima, porque é onde costuma ficar o nome, e assim você não precisa abrir um por um até encontrar o que quer. Também gosto de dividir por tons, para facilitar.

- Evite empilhar muitos produtos, pois os que estão embaixo acabam nunca sendo usados. Experimente guardá-los lado a lado: ocupa quase o mesmo espaço, mas fica mais acessível.

Antes de começar a organizar, faça uma análise dos seus produtos — tipos, quantidade, variedade de cores — para ver como eles ficarão melhores no seu espaço.

3

Pele

Uma pele bem-feita é o ponto de partida para qualquer maquiagem, da mais simples até a mais festiva. É fundamental para preparar a sua "tela" — base, corretivo, blush e afins —, além de dominar as técnicas de aplicação de acordo com o efeito desejado. E não se esqueça dos cuidados básicos para mantê-la sempre bonita!

OLHEIRAS... ELAS NÃO SÃO O FIM DO MUNDO P.72

Para acertar na base P.58

Pele oleosa sem pânico P.56

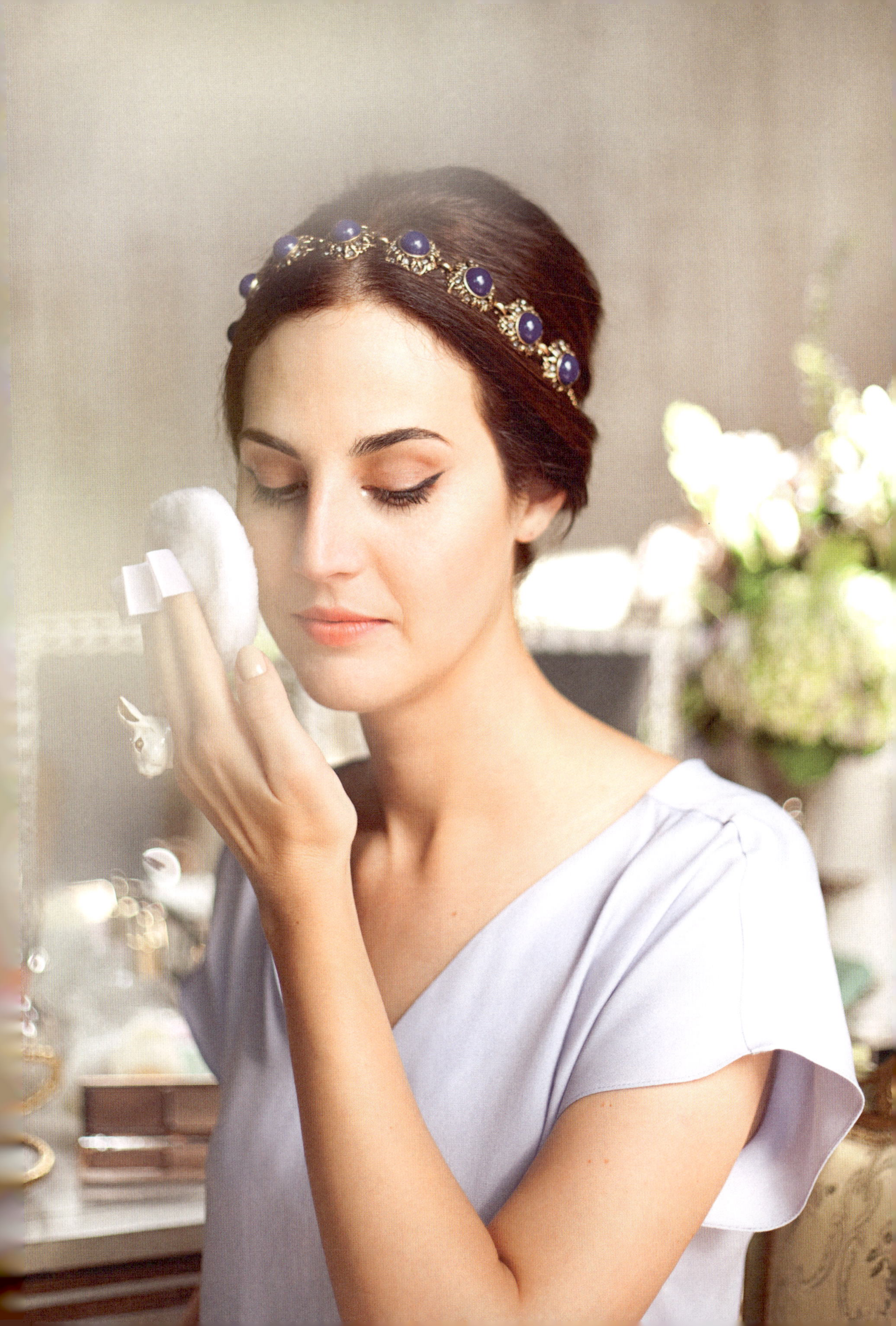

CUIDANDO DA SUA PELE

Além da genética, fatores como dieta, estilo de vida, hormônios e clima têm influência direta na aparência e na saúde da pele. É preciso aprender as características particulares e tendências que a *sua* pele tem — esse é o primeiro passo para tratá-la de forma correta — e estabelecer uma rotina de cuidados para manter o equilíbrio e, consequentemente, a beleza. E não se esqueça: é melhor tratar eventuais problemas que incomodam (mesmo que para isso seja preciso recorrer a um dermatologista) do que tentar disfarçar sob camadas e camadas de base, corretivo, pó...

Para começar, eis aqui sete princípios básicos para conquistar uma pele mais bonita.

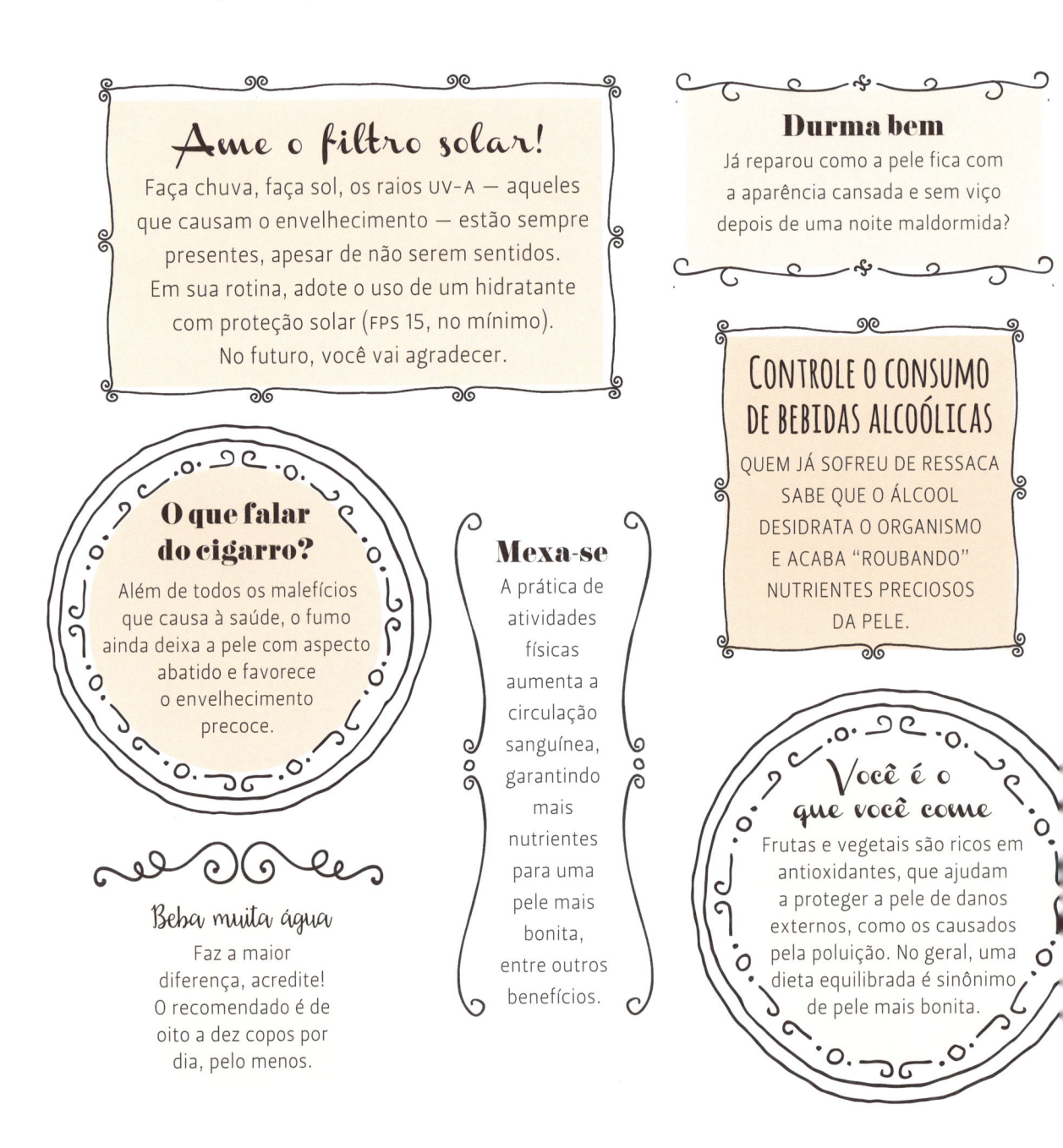

Ame o filtro solar!

Faça chuva, faça sol, os raios UV-A — aqueles que causam o envelhecimento — estão sempre presentes, apesar de não serem sentidos. Em sua rotina, adote o uso de um hidratante com proteção solar (FPS 15, no mínimo). No futuro, você vai agradecer.

Durma bem

Já reparou como a pele fica com a aparência cansada e sem viço depois de uma noite maldormida?

Controle o consumo de bebidas alcoólicas

QUEM JÁ SOFREU DE RESSACA SABE QUE O ÁLCOOL DESIDRATA O ORGANISMO E ACABA "ROUBANDO" NUTRIENTES PRECIOSOS DA PELE.

O que falar do cigarro?

Além de todos os malefícios que causa à saúde, o fumo ainda deixa a pele com aspecto abatido e favorece o envelhecimento precoce.

Mexa-se

A prática de atividades físicas aumenta a circulação sanguínea, garantindo mais nutrientes para uma pele mais bonita, entre outros benefícios.

Você é o que você come

Frutas e vegetais são ricos em antioxidantes, que ajudam a proteger a pele de danos externos, como os causados pela poluição. No geral, uma dieta equilibrada é sinônimo de pele mais bonita.

Beba muita água

Faz a maior diferença, acredite! O recomendado é de oito a dez copos por dia, pelo menos.

QUAL É A SUA?

Dica preciosa para aprender qual é o seu tipo de pele: observe seu rosto no espelho no meio do dia, lá pela hora do almoço. Analise a textura, aparência e sensação, notando quais destas características sua pele apresenta:

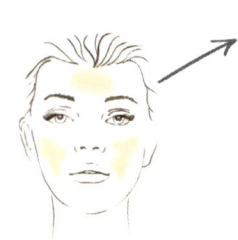

NORMAL
- Textura suave, poros pequenos e tom uniforme.
- Raramente apresenta espinhas.
- As bochechas são a área mais seca, mas não chega a ser um problema.
- Pode apresentar um pouco mais de brilho e poros dilatados na zona T.

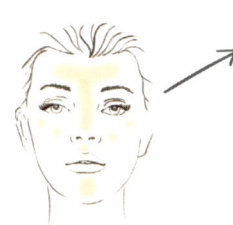

MISTA
- Textura oleosa na zona T, mas seca nas bochechas.
- Poros maiores e mais visíveis na testa, no nariz e queixo.

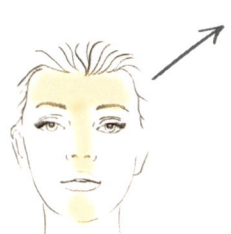

OLEOSA
- Aspecto brilhante, sobretudo na zona T.
- Textura levemente oleosa, mesmo depois de lavar o rosto.
- Poros maiores e visíveis.
- Espinhas e cravos são mais comuns.
- Menos sinais de idade.

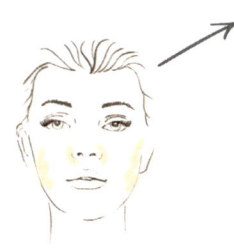

SECA
- Textura mais áspera e pode ter manchinhas.
- Sensação de "repuxada" logo depois de lavar o rosto.
- Possibilidade de aparência "descascada".
- Os poros são menores.
- Sinais de idade (rugas, linhas finas) surgem precocemente.

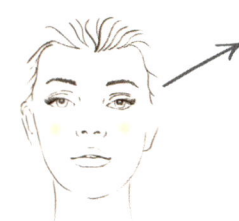

SENSÍVEL
- Textura pode variar de seca a oleosa.
- Tendência a coçar, descascar e avermelhar.
- Pode irritar com alguns cosméticos e maquiagens.
- Produtos com fragrância ou álcool causam ardência.

A ROTINA BÁSICA DE CUIDADOS COM A PELE, SEJA QUAL FOR O TIPO, É LIMPAR, TONIFICAR E HIDRATAR: DE DIA, USE UM HIDRATANTE COM PROTEÇÃO SOLAR; À NOITE, UM COM ATIVOS ADEQUADOS PARA SUAS NECESSIDADES. TAMBÉM VALE A PENA ADOTAR UM PRODUTO ESPECÍFICO PARA A ÁREA DOS OLHOS, JÁ QUE É ONDE OS PRIMEIROS SINAIS DE ENVELHECIMENTO COSTUMAM APARECER. AH! NEM PENSAR EM DORMIR SEM TIRAR A MAQUIAGEM, HEIN?! ESSE É UM HÁBITO QUE NÃO TRAZ VANTAGEM NENHUMA...

Se sua pele apresentar problemas que exijam cuidados mais específicos e intensivos — como rosácea, melasma, acne severa, entre outros — ou se você simplesmente desejar tratamentos mais elaborados, procure um dermatologista para entender quais as melhores soluções disponíveis.

PESADELO NACIONAL: pele oleosa

São grandes as chances de você ter respondido um imediato "oleosa!" ao ver a pergunta sobre seu tipo de pele, ali na página anterior, antes mesmo de ler as descrições de cada uma. Por causa do nosso clima, a pele oleosa é mesmo a mais comum de se encontrar no Brasil — especialmente se comparar com a Europa e os Estados Unidos. E isso é um problema? Claro que não. Todos os tipos de pele têm vantagens e desvantagens, mas vejo tantas meninas "sofrendo" com a oleosidade que penso: quem disse que o legal é ter a pele 100% seca?

Sim, é preciso caprichar nos cuidados, como limpar bem o rosto e usar produtos que controlem o brilho, evitando aqueles que possam tapar os poros ou deixar a pele ainda mais gordurosa: isso é a pedida para que apareçam cravos e espinhas. Mas que tal saber que você provavelmente terá linhas de expressão e rugas muito mais tarde que sua amiga de pele seca?

E tem mais: controlar a oleosidade não significa ressecar seu rosto ao máximo, lavando mil vezes ao dia, usando tônicos agressivos e — pecado! — pulando a etapa do hidratante. Já ouviu falar em *efeito rebote*? Significa que se o ponto de equilíbrio da sua pele tende para o oleoso, quanto mais você tentar deixá-la seca, mais óleo ela vai produzir para tentar recuperar esse equilíbrio. Ou seja: vale controlar, mas sem exagerar!

Agora, um desafio: na hora de se maquiar, que tal aceitar que um pouco de brilho é legal? Claro que matificar a zona T é sempre uma boa ideia, mas perseguir um rosto todo opaco não é necessariamente a melhor alternativa — pegar pesado no pó pode até mesmo deixar seu rosto com a aparência envelhecida e abatida. Em vez de exagerar na cobertura, incorpore um *primer* que controla a oleosidade e disfarça os poros na rotina. Depois, escolha uma base *oil-free* (que pode ter acabamento mate) e finalize com uma camada leve de pó.

Sai pele "sequíssima", entra pele com aparência saudável!

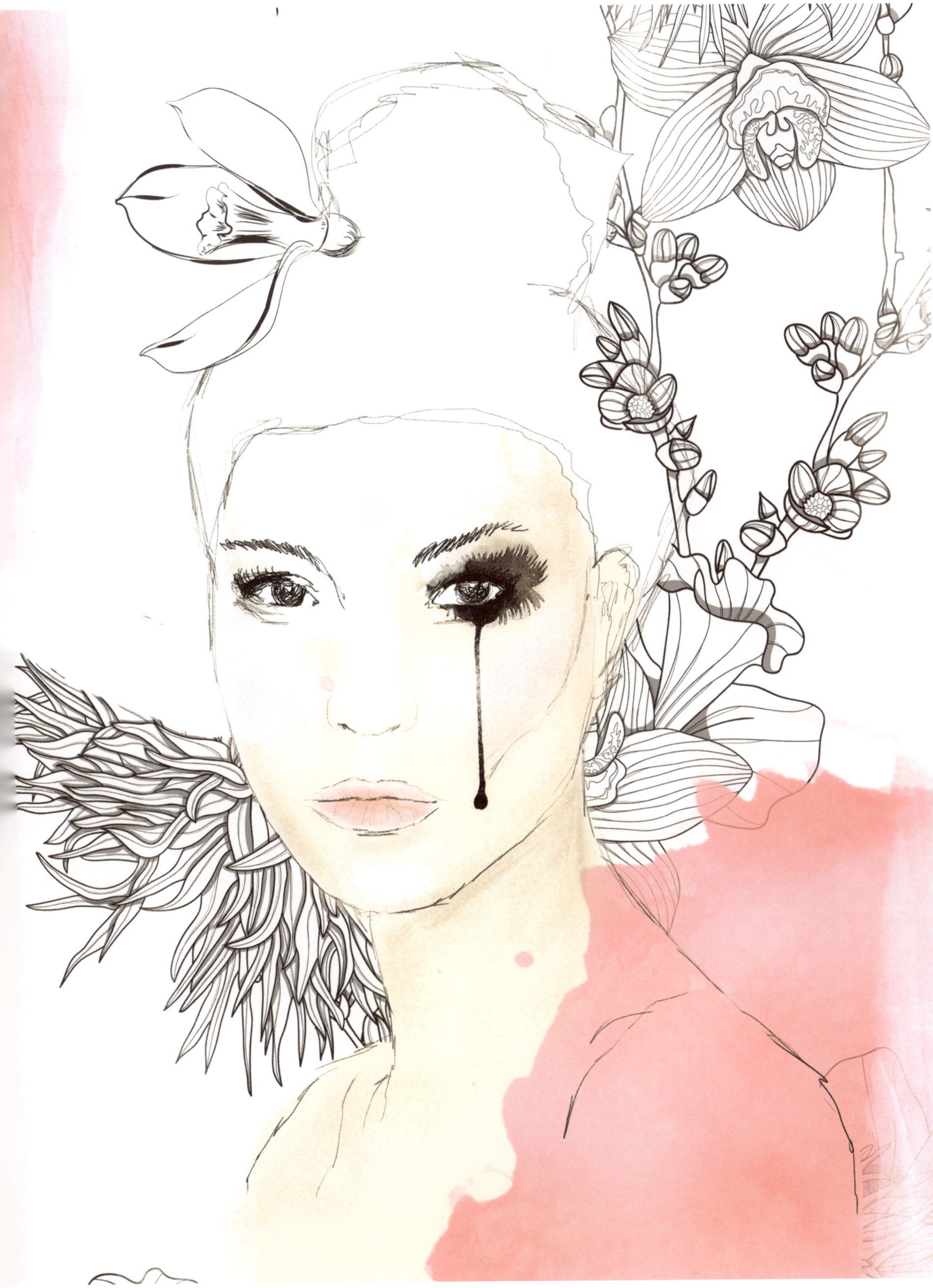

BASE DE TUDO

Não importa a maquiagem que você vai fazer depois: uma pele bem preparada, com o tom uniformizado, imperfeições disfarçadas e contornos definidos faz toda a diferença no resultado final.

Nessa etapa, ter os produtos certos é meio caminho andado — a base com textura ideal para sua pele e tom que se funde perfeitamente, o corretivo que cobre olheiras e manchinhas na medida, o blush que realça e define seus traços... É preciso um pouco de dedicação para montar o "kit pele" perfeito para você, experimentando fórmulas e tons até encontrar as que mais se adaptam às suas necessidades. Digamos que não é tão simples quanto escolher um batom ou um rímel, mas vale o esforço!

É interessante ter uma base de verão e outra de inverno. Porque, por mais cuidadosa que você seja com o protetor, a cor do rosto acaba variando ao longo do ano.

ACERTE NO TOM

Antes de começar a missão, saiba que às vezes o kit ideal não é composto de apenas uma base e um corretivo — a pele não é sempre idêntica, pode ficar mais seca ou mais oleosa dependendo do clima, mais ou menos bronzeada, com mais imperfeições por questões hormonais. Portanto, não estranhe se um só produto não suprir as suas necessidades.

Então vamos lá:

Para começar, nada de experimentar a base no dorso da mão: se é no rosto que você vai usar, é no rosto que tem de testar! Aplique um pouco de produto entre o nariz e a bochecha, depois espalhe em direção ao pescoço; se for a cor certa, ela vai literalmente sumir. Melhor ainda: se puder, aplique no rosto todo e vá dar uma volta, para ver como a base se comporta em diferentes ambientes (lembrando que a luz natural é a mais fiel de todas), além de sentir como é a interação do produto com a sua pele.

Para encontrar o corretivo ideal, a dica de experimentar no rosto também se aplica, mas nesse caso pode ser interessante ter dois tons: um para disfarçar olheiras (costuma ser um pouco mais claro) e outro para marquinhas, espinhas e manchas no rosto, que tem o mesmo tom da base. E não fique com medo de misturar vários até chegar na cor perfeita para a sua necessidade – eu, inclusive, sou fã daquelas paletas de corretivo com vários tons, ótimas para "eliminar" todos as imperfeições que aparecerem!

No caso do pó, você pode escolher um no tom da base ou optar pelo branco, que fica invisível ao aplicar.

COMO ESCOLHER

Base

Há tantas opções de base no mercado que mesmo uma expert fica confusa na hora de escolher. Por isso, é bom ter em mente qual a fórmula, o acabamento e o nível de cobertura que você procura: a base pode ser líquida, em musse, pó ou bastão; ter acabamento neutro, iluminado ou opaco; além de cobertura leve, média ou alta. A combinação desses três fatores determina a sua base ideal — sugiro experimentar e ver qual se adapta melhor a sua pele e suas necessidades. Mas para quem ama um guia, algumas dicas para facilitar a escolha:

BASES LÍQUIDAS

Em geral, bases líquidas bem fluidas costumam ter *cobertura leve* e *acabamento iluminado*, ideal para quem não quer parecer muito maquiada e também para usar durante o dia.

BASES CREMOSAS

Bases líquidas mais cremosas proporcionam *cobertura média para alta*, sendo que as de *acabamento opaco* são a melhor pedida para quem tem pele oleosa e busca um rosto impecável; já as de *acabamento iluminado* são boas para festas e casamentos.

BASES EM MUSSE

Bases em musse costumam oferecer *cobertura média* e *acabamento neutro para opaco*, boa opção para quem tem pele mista.

BASES EM PÓ

Bases em pó funcionam bem em peles mistas a oleosas, sendo práticas para levar na bolsa e retocar. Quem tem pele seca deve tomar cuidado para não ficar com o rosto craquelado. Costuma ter *cobertura média*.

BASES EM BASTÃO

Bases em bastão funcionam em todos os tipos de pele e têm como maior vantagem a praticidade da aplicação. Costuma ter *cobertura de média para alta*.

É POSSÍVEL CUSTOMIZAR A *cobertura* DA SUA BASE: SE ELA FOR *leve* E VOCÊ QUISER MAIS, APLIQUE UMA SEGUNDA E ATÉ TERCEIRA CAMADA; SE FOR *alta* E VOCÊ QUISER *menos*, MISTURE COM UM POUCO DE HIDRATANTE PARA DILUIR.

Corretivo

O corretivo pode vir em tubo, potinho, bastão ou caneta; com textura líquida, cremosa ou mais sequinha. Os mais líquidos costumam ter cobertura mais leve, enquanto os mais "durinhos" são mais poderosos — use com moderação para não ficar com aspecto "argamassa"! Para as olheiras mais evidentes, o corretivo ideal traz um equilíbrio entre ser cremoso, para não *craquelar*,* e ter certo poder de cobertura, para disfarçar ao máximo. Já para espinhas, os mais secos funcionam melhor.

*MUITAS PESSOAS ME PERGUNTAM COMO EVITAR QUE O CORRETIVO FIQUE COM ASPECTO CRAQUELADO DEPOIS DE ALGUM TEMPO NO ROSTO, ESPECIALMENTE NAS OLHEIRAS. O MAIOR CULPADO POR ESSE FENÔMENO É O RESSECAMENTO NA REGIÃO. POR ISSO, É FUNDAMENTAL PREPARAR A PELE ANTES DO MAKE, USANDO UM HIDRATANTE ONDE ELA TENDE A FICAR MAIS SECA! APLIQUE UNS CINCO MINUTOS ANTES DE COMEÇAR, PARA DAR TEMPO DE O PRODUTO SER DEVIDAMENTE ABSORVIDO. TAMBÉM VALE RETOCAR O CORRETIVO QUE CRAQUELOU COM UMA VERSÃO MAIS FLUIDA (OU MISTURANDO O SEU COM UM HIDRATANTE), PARA RE-HIDRATAR E REESPALHAR, SEM ABRIR MÃO DA COBERTURA.

TEM ORDEM?

Não existe uma ordem certa de aplicação. Aliás, nem é obrigatório usar base e corretivo, se você não quiser!** Vai muito do seu gosto e da necessidade da sua pele: às vezes, só a base já resolve; outras vezes, você pode optar por uma cobertura bem leve durante o dia, usando apenas corretivo nas imperfeições…

Quanto à ordem, eu costumo passar primeiro a base, depois o corretivo. Razão: mesmo que ela seja leve, vai uniformizar o tom da pele e dar certa cobertura, suavizando por tabela as olheiras e outras imperfeições, aí preciso de menos corretivo para terminar de cobrir esses detalhes, garantindo uma pele mais natural. Além do mais, passando o corretivo antes, na hora de espalhar a base você pode acabar tirando ele do lugar — ou seja, se for uma correção pontual, não vale a pena. Mas, se não estiver segura, experimente as duas ordens e veja qual delas prefere.

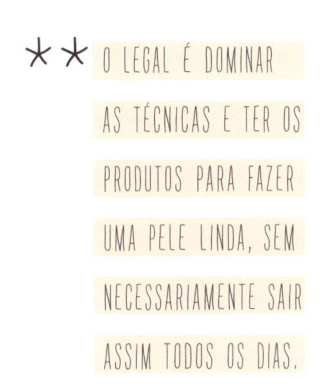

**O LEGAL É DOMINAR AS TÉCNICAS E TER OS PRODUTOS PARA FAZER UMA PELE LINDA, SEM NECESSARIAMENTE SAIR ASSIM TODOS OS DIAS.

HORA DO BLUSH

Para mim, a maquiagem não está completa sem um toque de blush. Ele dá aquele bem-vindo ar de saúde e é aliado na hora de definir o contorno do rosto — dependendo do tom e da aplicação, o efeito vai do "boa moça" ao festivo.

As texturas

PÓ
É o formato mais disseminado — você vai encontrar uma infinidade de opções, dos mais leves aos mais pigmentados, que dão efeito mais intenso. Funciona bem em todos os tipos de pele e deve ser aplicado com um pincel.

CREME*
Perfeito para quem deseja um resultado bem natural, já que se funde com a pele e dá a impressão de que aquele rubor vem de dentro. Há versões em bastão e em potinho, e pode ser espalhado com os dedos ou com pincel. **

LÍQUIDO
É literalmente uma tinta, costuma vir com aplicador que parece um pincel de esmalte e o segredo é espalhar rápido, assim que colocar na pele — ele seca logo, então pode ser traiçoeiro, mas dura que é uma beleza!

* QUEM TEM PELE OLEOSA COSTUMA TORCER O NARIZ PARA ESSA FÓRMULA, MAS SE VOCÊ MATIFICOU OS PONTOS-CHAVE DA PELE DIREITINHO ANTES, ISSO NÃO É UM PROBLEMA.

** SE QUISER ARRASAR NA DURABILIDADE, APLIQUE O BLUSH CREMOSO E, POR CIMA, O BLUSH EM PÓ — FIXA SUPERBEM!

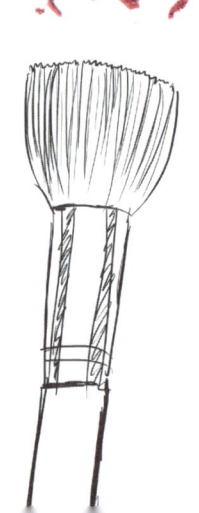

CORES:

rosas
pêssegos
lilases/roxos
bronzes

QUAIS TER NA SUA COLEÇÃO

A função do blush é trazer aquele rubor natural para a pele, o tão cobiçado ar de saúde. Logo, o tom ideal para você é aquele que se assemelha... ao rubor natural da sua pele! Já falei e insisto: a melhor maneira de encontrar o produto perfeito é sempre experimentar no rosto — e ver o resultado no espelho —, mas uma dica útil é beliscar de leve as bochechas e buscar um tom que replique o efeito rosadinho.

Há mil e uma opções de cores, mas diria que é possível se sentir satisfeita com duas, que considero curingas para todas as maquiagens que você quiser fazer. O rosado neutro (nem muito claro, nem muito escuro, nem muito vibrante, nem muito pálido), ideal para o dia a dia, confere ar de saúde (ele de novo) no ato com efeito mais romântico,* e o pêssego terroso (mais intenso, pode — e deve — ter um toque de brilho), que vai muito bem à noite, define o rosto mesmo que você dispense o contorno e tem efeito mais sexy.** Esses dois tons funcionam em todos os tipos de pele*** e também podem ser usados juntos, com o rosado nas maçãs e o pêssego mais na diagonal.

Quando você se sentir segura e tiver vontade de aumentar a coleção, experimente cores diferentes como o rosa frio (meio lilás), o pink mais gritante, o laranja... Eles acabam tendo o mesmo objetivo, mas com uma sutil diferença no tom.

* Aplique com movimento circular na parte "gordinha" da bochecha, que pula quando você sorri.

** Aplique na diagonal, começando do gordinho da bochecha e puxando em direção à têmpora.

*** Quanto mais morena for a pele, mais pigmentado e intenso pode ser o blush.

PELE

SE VOCÊ
FOI UMA
BOA MENINA
E NÃO TOMOU
SOL NO ROSTO!

AH! TEM TAMBÉM O PÓ BRONZEADOR

Que eu prefiro chamar de "pó queimador", algumas pessoas chamam de bronzer... Esse é um híbrido de pó finalizador e blush, e sua melhor utilização é justamente nesse meio-termo: aplicando numa área maior que a do blush, mas não necessariamente no rosto inteiro, para aquecer a pele, te deixar com cara de verão, igualar com o corpo que às vezes é mais bronzeado... O pó queimador também funciona bem para fazer o contorno ou no lugar do blush pêssego terroso já citado.

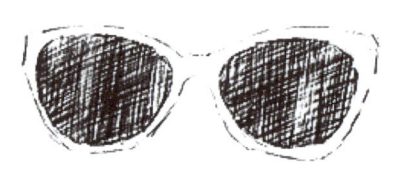

ONDE APLICAR?

Com um pincel grande e fofo, comece na bochecha e depois faça um 3, pegando a têmpora, a bochecha e o maxilar. Sem adicionar mais produto, passe o pincel na testa, no topo do nariz e no queixo.

DICAS PRÁTICAS PARA CONSEGUIR O MELHOR RESULTADO

UMA PELE BEM PREPARADA AJUDA TODA MAQUIAGEM DURAR MAIS?
O blush resiste por muito mais tempo se você tiver feito
a pele antes.

Tire o excesso de pigmento antes de aplicar o blush no rosto.
Se estiver usando um blush em pó, vale dar batidinhas com o
pincel na embalagem; se for cremoso ou líquido, bata o dedo
antes no dorso da mão.

PEGUE LEVE — não precisa fazer
força na mão, é sempre melhor começar
com delicadeza e ir intensificando
a cor aos poucos, se for o caso.

ESPALHE FAZENDO
1. movimentos circulares curtos se
   quiser aquele efeito "ar de saúde";
   ou
2. movimentos mais longos na diagonal
   para um efeito mais dramático.

Para o blush não ficar muito marcado ou exagerado, não tem
segredo: ESPALHE, ESPALHE, ESPALHE.

Mas, se no fim das contas você ainda achar que está demais,
sem pânico. Pegue o pincel de base que está "sujinho" (não
precisa colocar mais produto) e passe suavemente sobre o blush
"errado", para amenizar a intensidade da cor e consertar bordas
muito definidas.

PELE 65

PASSO A PASSO #1

PELE BÁSICA EM CINCO PASSOS

Fácil de fazer e serve literalmente como base para vários looks apresentados ao longo do livro. Antes de começar, lembre-se de cumprir sua rotina (limpeza, tônificação, hidratação — com filtro solar, se for durante o dia):

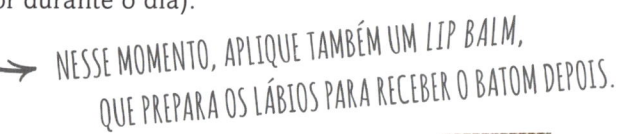

Nesse momento, aplique também um LIP BALM, que prepara os lábios para receber o batom depois.

1. Aplique a base no rosto usando os dedos, um pincel ou uma esponja, de acordo com sua preferência. Espalhe bem para que ela se mescle completamente com a pele. Por fim, não se esqueça de uniformizar a linha do maxilar para evitar aquela divisão rosto/pescoço.

2. Aplique o corretivo nos pontos que precisam de mais cobertura, usando um pincel (gosto especialmente para esconder espinhas, pois é bem preciso) ou o dedo (minha preferência para a região das olheiras) dando leves batidinhas.

`DICA:` FAÇA PONTINHOS COM O PRODUTO NAS BOCHECHAS, TESTA, NARIZ E QUEIXO. DEPOIS ESPALHE, PARA UMA COBERTURA UNIFORME.

Evite fazer força no dedo ou o movimento de "esfregar" o produto, pois, desse modo, você apenas o move de um lado para o outro, sem depositar na região que deseja.

3. Escolha um blush de tom rosado ou pêssego e aplique suavemente nas maçãs do rosto para aquele bem-vindo ar de saúde — não se esqueça de tirar o excesso de produto do pincel, para não ficar muito exagerado.

QUER GANHAR TEMPO E ECONOMIZAR PRODUTOS SEM COMPROMETER O VISUAL?
`TROQUE A BASE POR UM BB CREAM`, QUE SOZINHO JÁ TEM FUNÇÃO DE PROTETOR SOLAR + *PRIMER* + BASE.

4. Finalize com pó translúcido nas regiões onde a pele tende a ficar oleosa, como testa, em volta do nariz e queixo — o pó também ajuda a fixar o corretivo aplicado nas imperfeições. Use um pincel fofinho para evitar excesso de produto.

PELE ELABORADA

Já dominou a pele básica e agora quer mais? Há vários truques que você pode usar para incrementar o visual...

Misture dois primers

Gosto de brincar com mais de um tipo de *primer* na hora de preparar uma pele elaborada. Meu mix preferido é: um com função de alisar e disfarçar os poros — que aplico na região central do rosto — e outro do tipo que ilumina nas áreas onde se costuma aplicar o iluminador — como no alto das maçãs do rosto, para já dar aquele viço antes da base. Também vale misturar os dois e aplicar no rosto inteiro: dá um efeito ótimo!

Ilumine

Uma pele com pontos de luz fica muito mais elaborada e interessante. Escolha um iluminador iridescente — há opções menos e mais "brilhosas", entre cremes e pós — e aplique no topo das maçãs perto das têmporas, no canto interno dos olhos, por cima da luz mais natural que você fez no contorno, abaixo das sobrancelhas, no osso do nariz e no arco do cupido.

Adote um hidratante de efeito tensor

Sabe aqueles cremes "efeito cinderela", que dão uma esticadinha instantânea na pele? São uma ótima alternativa para mulheres de pele madura, no lugar do *primer*. Também vale combinar com o *primer* iluminador, citado acima, para uma pele radiante.

Use um blush mais tchans

TROQUE O TOM ROSADO/PÊSSEGO NATURAL POR UM MAIS INTENSO E COM BRILHO: O ROSTO GANHA UM TOQUE FESTIVO NO ATO! É UM ÓTIMO TRUQUE PARA TRANSFORMAR O MAKE DIA EM NOITE, POR ISSO DEIXE SEMPRE UM DESSES NO KIT DE RETOQUE.

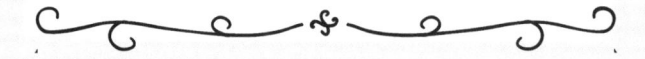

Experimente o contorno

O jogo de luz e sombra que define e valoriza os traços não é reservado apenas a maquiadores profissionais...

O contorno

Você já deve ter visto na internet imagens que ilustram (de maneira exagerada, claro!) a técnica do contorno. Ela nada mais é que um jogo de luz e sombra, para deixar o rosto mais definido e valorizar os traços, "afundando" alguns pontos com tons mais escuros e iluminando outros para realçar. Basicamente, um truque profissional que você pode incorporar no dia a dia sem complicações.

Há várias maneiras de pôr o contorno em prática: usando tons mais escuros do seu corretivo ou base (boa maneira de usar aquele que você comprou na cor errada!), um pó bronzeante (que não tenha brilho) ou algum produto específico para esse fim, normalmente pós ou cremes marrons bem neutros para um resultado que não seja detectado — recomenda-se dois tons mais escuros que sua pele para criar a sombra e dois mais claros para iluminar.

O segredo para o resultado perfeito é mesclar muito bem as sombras e os iluminados com a base, para o rosto não ficar marcado. A ideia é que seja discreto — ninguém precisa saber que você caprichou no contorno, ele tem que parecer naturalmente seu!

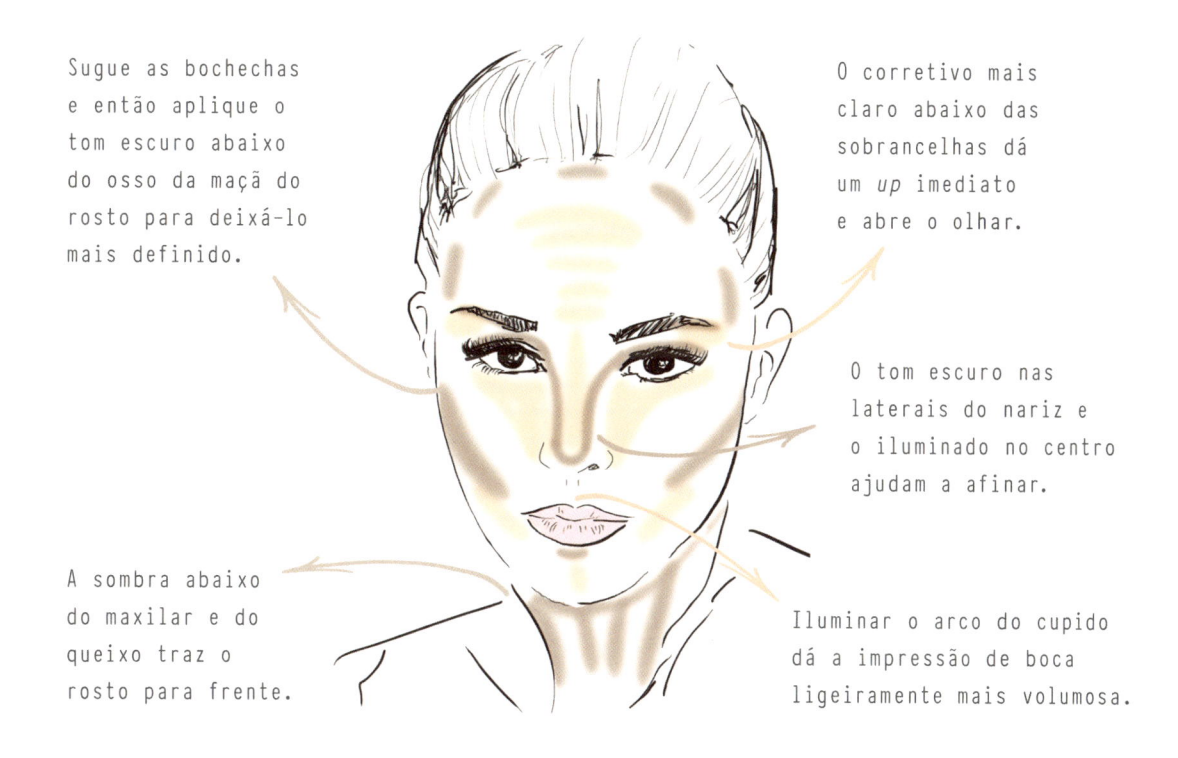

Sugue as bochechas e então aplique o tom escuro abaixo do osso da maçã do rosto para deixá-lo mais definido.

O corretivo mais claro abaixo das sobrancelhas dá um *up* imediato e abre o olhar.

O tom escuro nas laterais do nariz e o iluminado no centro ajudam a afinar.

A sombra abaixo do maxilar e do queixo traz o rosto para frente.

Iluminar o arco do cupido dá a impressão de boca ligeiramente mais volumosa.

PASSO A PASSO #2

PELE ELABORADA

Sete passos para você colocar em prática tudo o que aprendeu até agora e conquistar uma pele de boneca.

1. Com a pele limpa e hidratada, espalhe com os dedos um ou dois *primers*.

2. Aplique a base e capriche na hora de espalhar — para a pele elaborada, prefiro usar um pincel e fazer movimentos circulares.

3. Hora do corretivo nas olheiras e em pontos que quiser disfarçar, como manchinhas e espinhas.

4. Com um corretivo mais claro, use a técnica do contorno iluminando *áreas curingas*: abaixo das sobrancelhas, o triângulo abaixo dos olhos, o ossinho no topo do nariz, o centro da testa, as laterais da boca, no arco do cupido e o centro do queixo.

Para um resultado mais natural, deixe esse como passo número 2 logo depois dos primers.

5. Com um blush marrom para contorno e um pincel de tamanho médio, crie uma sombra no "afundado" da bochecha, na testa perto da linha do cabelo, nas laterais do nariz, na linha do maxilar e bem abaixo do queixo.

Lembre-se: mão leve nessa etapa!

6. Aplique blush rosado ou pêssego no topo da maçã do rosto, fazendo movimentos circulares e subindo levemente em direção às têmporas.

7. Espalhe iluminador no alto das maçãs em direção às têmporas e, se quiser um efeito mais dramático, use também no ossinho do nariz, no arco do cupido e no centro do queixo.

PELE

DE OLHEIRA A OLHEIRA

Se eu tivesse que apontar o "drama" campeão das minhas leitoras, aquele que nunca deixa de aparecer em comentários e e-mails, a questão *olheiras* certamente estaria na *pole-position* (muito embora *pele oleosa*, *manchas* e *dificuldades com o delineador* disputem arduamente o topo do pódio).

Depois de ler inúmeros depoimentos, comecei a pensar sobre o assunto e percebi uma coisa curiosa: a maioria das mulheres (nunca vi homem reclamar disso) acha que tem uma olheira muuuuito mais grave do que realmente tem. Deve ser culpa daquele incrível dom feminino de enxergar com uma lente de aumento alguns "defeitos" — prefiro chamar de características — e achar que é apenas isso que as pessoas notam quando olham para ela. É inevitável, não conheço mulher que não faça isso, mas... Não pode virar uma paranoia que te impeça de se sentir bem consigo mesma, né?

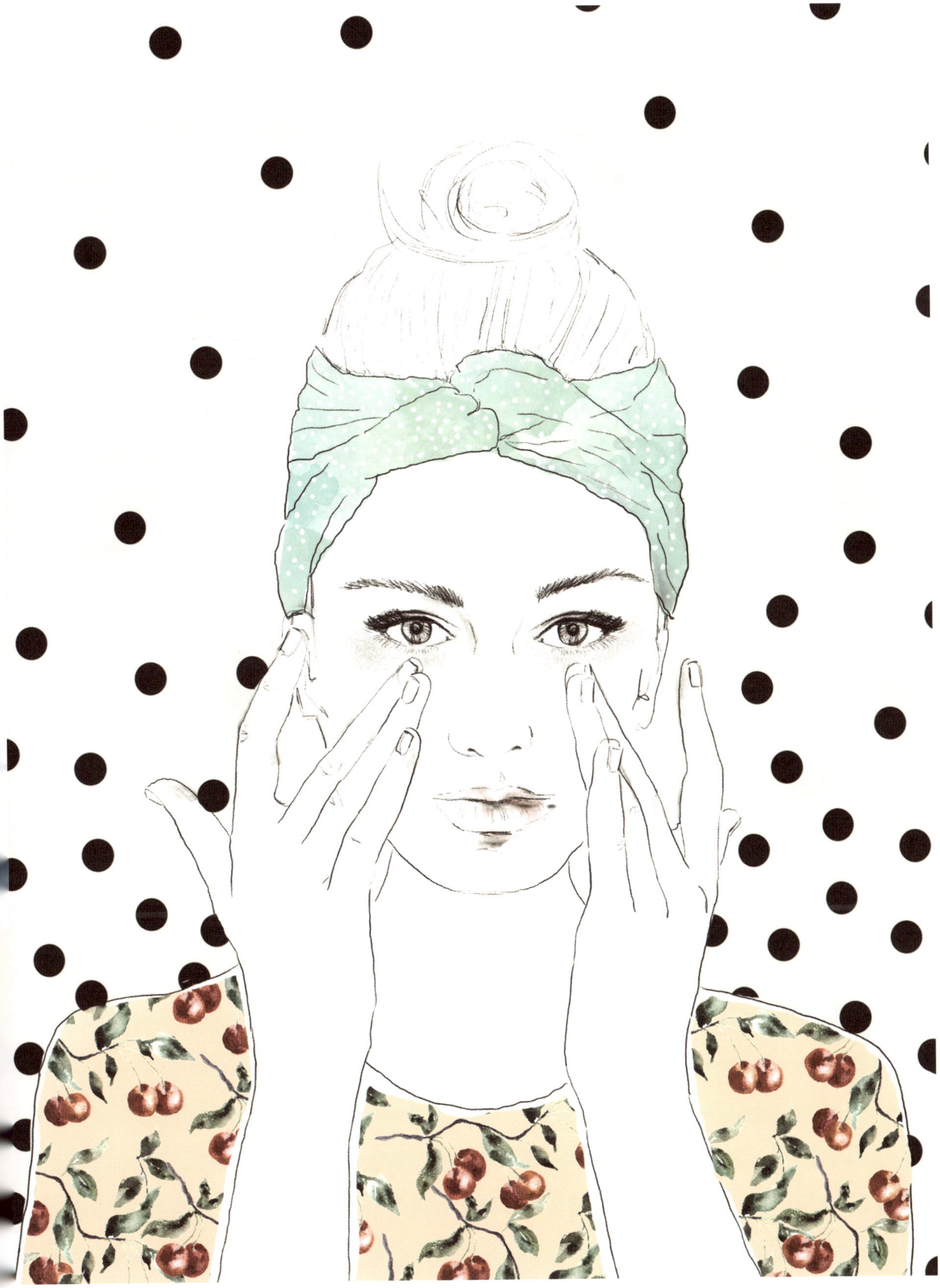

Então, como primeiro passo para superar a "crise das olheiras", aqui vão alguns fatos:

1. Não, suas olheiras não são tão marcadas, fortes, roxas ou fundas quanto você imagina.

2. Eu sei que o que você mais quer é um passe de mágica estilo "Photoshop na vida real" que apague as danadas do seu rosto de uma vez por todas, mas essa solução ainda está para ser inventada.

3. Todo mundo tem um certo grau de olheira, uma coisinha que seja mais escura ou funda abaixo dos olhos. Então respire fundo e desencane dessa obsessão "zero olheira", porque isso não existe!

Agora que você entrou no processo de aceitação, rumo à convivência em harmonia com suas olheiras, vem a boa notícia: claro que é possível suavizar (e não apagar!) o aspecto delas com *cremes* — eles não fazem milagre, mas dão uma mãozinha —, *maquiagem* — disfarce temporário, mas superválido — e, se for o caso, alguns *tratamentos no dermatologista* — converse com um profissional se quiser partir para ações mais extremas como laser e preenchimento.

Outra lição: não existe um só tipo de olheira. Algumas são mais arroxeadas, outras mais marrons; às vezes são mais fundas, outras nem tanto; podem ser herança genética, mas também causadas por cansaço e estresse... Isso deve ser levado em conta na hora de escolher o corretivo, por exemplo (opte por um que neutralize o subtom da sua olheira), além de servir como parâmetro de quanto é possível camuflar — não existe um truque genial que sirva para todo mundo, mas é possível testar vários produtos até encontrar aquele que funciona para você.

Quando falo em testar vários produtos, claro que não significa comprar milhares de coisas até encontrar o que você gosta! Vale pedir amostras grátis, perder uma tarde numa loja de cosméticos passando tudo e mais um pouco no rosto, trocar dicas com as amigas...

Lembre-se também de pôr em prática o bom e velho truque de desviar a atenção, afinal seu rosto não se resume às olheiras. Capriche na pele (escondendo a dita-cuja o máximo que der, mas sem exagerar), faça uma bela maquiagem nos olhos (mas lembre que produtos escuros rente aos cílios inferiores podem realçar as olheiras), use um batom vibrante... Funciona muito! Mas, no fim das contas, meu maior conselho é mesmo este: desista de "deletar" suas olheiras. A mais preocupada com elas certamente é você!

PASSO A PASSO #3

MAKE BÁSICO DO DIA A DIA

O ponto de partida aqui é a pele básica do passo a passo #1. Com mais estes cinco passos fáceis, você cria um visual simples, versátil e democrático — muito melhor do que sair de cara lavada!

1. Com um lápis, faça um traço rente aos cílios superiores e inferiores contornando os olhos — não precisa se preocupar com a perfeição.

A INTENSIDADE DO LÁPIS VAI DITAR O RESULTADO: PARA UM OLHO MAIS NEUTRO E BÁSICO, PEGUE LEVE NA MÃO (VALE TAMBÉM RISCAR SÓ RENTE AOS CÍLIOS SUPERIORES).

2. Esfume de leve esse traço com o dedo, um cotonete ou um pincel pequeno, como se estivesse "borrando" o lápis, fazendo movimento de um lado para o outro e subindo de leve.

3. Passe rímel nos cílios superiores.

SE PRECISAR, USE O CURVEX ANTES. OUTRA MANEIRA SIMPLES DE VARIAR ESSE MAKE É PASSAR MUITAS CAMADAS DE RÍMEL, EM CIMA E EMBAIXO.

4. Penteie as sobrancelhas para deixar os fios no lugar — para "segurar", caso as suas sejam rebeldes, vale usar uma máscara incolor para cílios.

5. Hidrate os lábios e aplique seu batom ou *gloss* neutro favorito.

P.S.: SE AS SUAS SOBRANCELHAS FOREM CLARINHAS, RALAS OU COM FALHAS, VALE A PENA DAR UM POUCO MAIS DE ATENÇÃO, USANDO O PASSO A PASSO DA P. 85.

A TENDÊNCIA DO "make nada"

Eu sempre adorei o conceito da maquiagem "nada". Entre muitas aspas, porque é claro que parecer que não fez nada não significa (mesmo!) sair de cara lavada. Mas esse visual bem natural, leve, que deixa você mais bonita sem parecer supermaquiada, é algo que aprecio bastante, acho moderno. E também curto essa coisa meio "secreta", de usar vários produtos e truques que ninguém consegue detectar — tem quem me diga: "Você tem tantas maquiagens, mas está sempre de cara lavada". Confesso que adoro e fico rindo por dentro, porque... de cara lavada eu não saio nunca!

Essa maquiagem *de bonita*, como os maquiadores gostam de chamar, não é novidade — eu me lembro de escrever matérias sobre isso lá por 2006, quando começou a virar tendência nas temporadas de desfiles e nos tapetes vermelhos. De lá para cá, no entanto, a coisa evoluiu, especialmente por causa das tecnologias cada vez mais avançadas dos cosméticos, que hoje têm texturas quase mágicas e são tão naturais que parecem mesmo não estar lá.

Há o "make nada" versão dia a dia, mas há também a versão festa. Um dos meus passatempos favoritos é ficar reparando na maquiagem usada pelas atrizes mais famosas do mundo em premiações importantes. Todas lindas, pele impecável, olhar destacado, lábios coloridos na medida. Tem base, tem blush, tem sombra, tem lápis ou delineador, tem batom... Mas tudo sem exagero, e mesmo dando zoom na foto você não vê aquela maquiagem pesada. E os cílios postiços? Existe até uma técnica, bem famosa em Hollywood, de colá-los por baixo dos naturais, em vez de por cima, para que a divisão seja impossível de detectar — como se tivessem nascido assim. Essa versão *glam* do "make nada" tem ainda outra vantagem: equilibra o visual quando o vestido é elaborado ou a joia é megapoderosa, não fica *over*.

Em resumo, adoro o *menos é mais*, e acho importante que toda mulher domine as técnicas básicas dessa maquiagem "nada" e saiba realçar naturalmente sua beleza — a partir disso, poderá exagerar e experimentar outros estilos quando quiser!

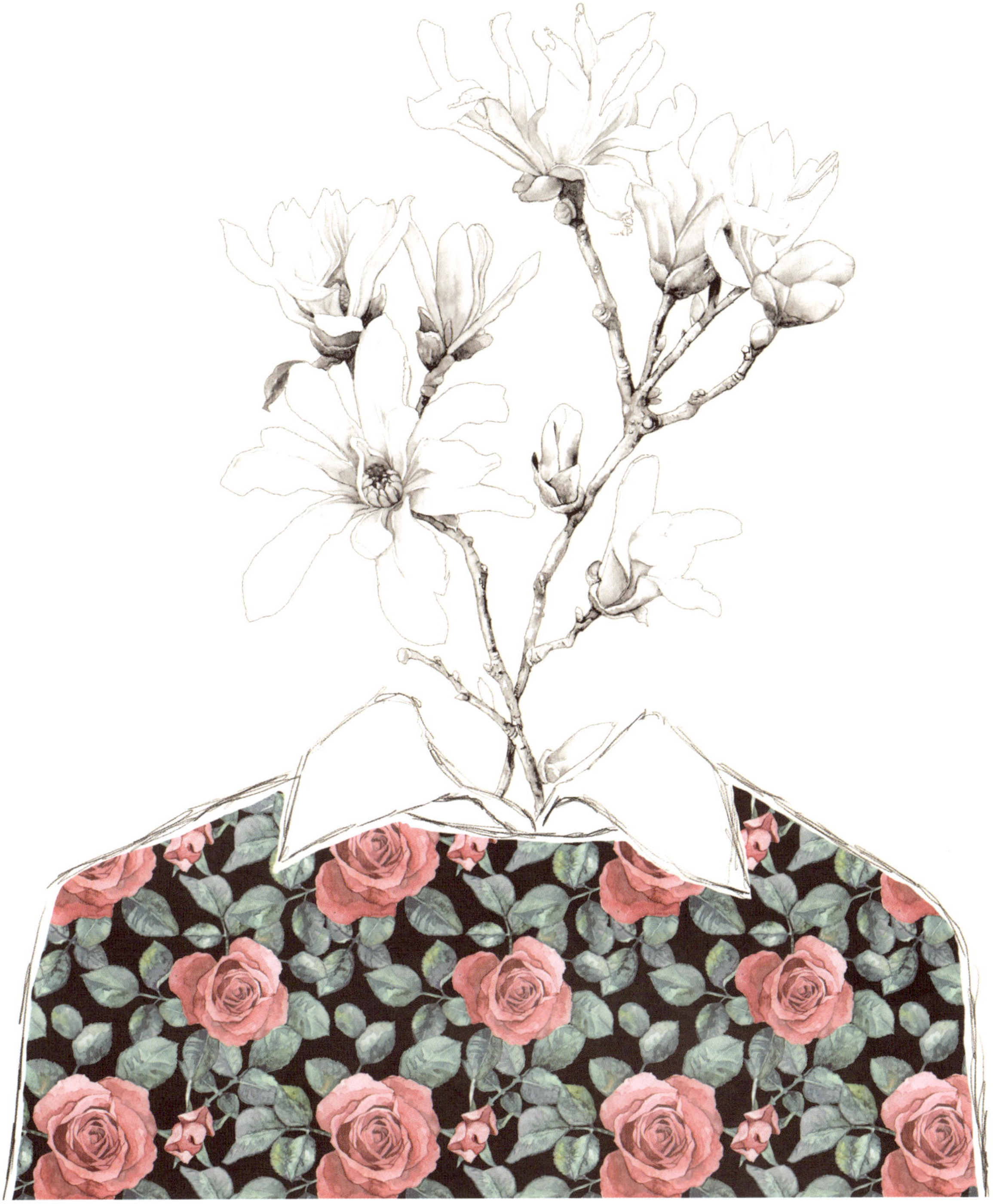

4

Olhos

Arrisco dizer que essa é a hora mais divertida da maquiagem. Sombras, lápis, rímeis e afins, em diversas cores e formatos, permitem que você crie uma infinidade de looks, do mais simples ao mais exagerado. E não há mulher que não se sinta mais bonita com os olhos valorizados. Então... divirta-se!

Delineado, finalmente!
P. 96

OS TEMPEROS DO MAKE P. 102

Cores nos olhos P. 88

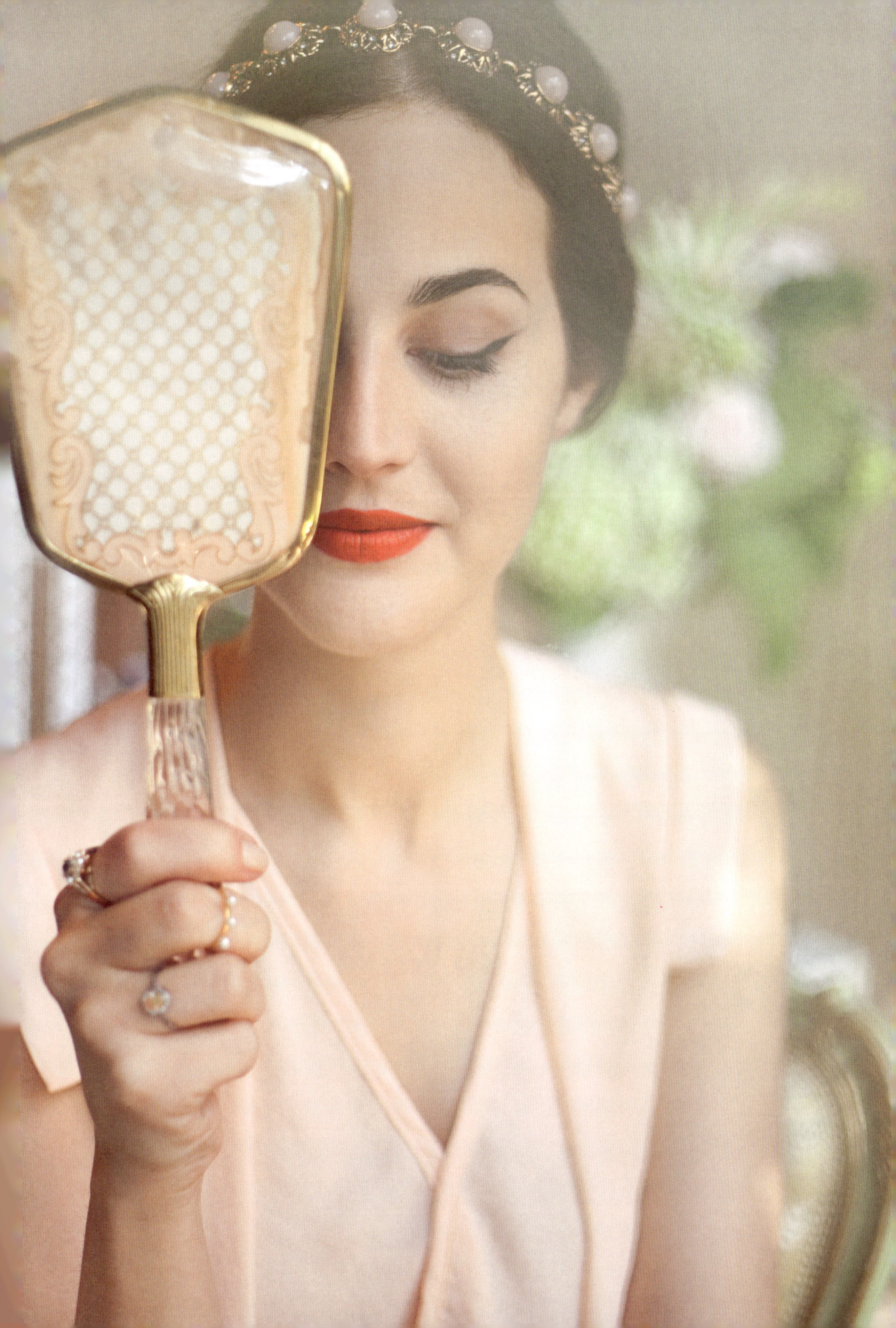

SOBRANCELHAS

Jamais subestime o poder das sobrancelhas: elas são capazes de mudar a expressão e devem estar sempre bem cuidadas. O desenho ideal é algo totalmente particular, capaz de realçar seus olhos e seu rosto — uma sobrancelha bem-feita chega a ter efeito rejuvenescedor, acredite! Apesar de eu mesma fazer a minha, recomendo fortemente que você encontre um profissional para cuidar da sua, já que uma barbeiragem pode ter efeito catastrófico... E é claro que a maquiagem também entra como aliada para embelezar ainda mais a sobrancelha, especialmente para quem tem falhas, fios ralinhos ou muito claros.

Não importa se você vai fazer um make "cara lavada" ou totalmente elaborado, elas sempre merecem atenção. Ainda bem que há um verdadeiro arsenal disponível para ajudar nessa tarefa.

FERRAMENTAS

LÁPIS DE SOBRANCELHA

A alternativa mais prática para preencher falhas ou aumentar o desenho natural da sobrancelha. Mas atenção: é *lápis de sobrancelha*! Não vale usar o mesmo que você usa nos olhos, afinal a intenção é mimetizar os pelinhos e o resultado não pode ser detectado. Os lápis específicos costumam ter textura mais seca, baixa pigmentação (para não correr o risco de o traço ficar muito evidente) e formato bem fino ou chanfrado, para facilitar o processo.

SOMBRA

Assim como os lápis, existem diversas sombras específicas para a região; mas como nesse caso a textura é a mesma (seca), até vale usar uma versão comum para as pálpebras, contanto que tenha a cor adequada e que ela seja opaca. Aplique com um pincel chanfrado fino.

RÍMEL DE SOBRANCELHA OU CERA

Pode ser transparente, ideal para manter os pelos alinhados e no lugar. Já os rímeis com cor (variações de marrom) também cumprem a função de preencher e disfarçar eventuais pelinhos brancos.

PASSO A PASSO #4

SOBRANCELHAS DEFINIDAS

Definir, realçar, reforçar, intensificar, preencher...
O que importa é dar aquele *up* no desenho para emoldurar perfeitamente os olhos. Antes de partir para elas, prepare a pele.* A ordem sobrancelha X make dos olhos fica a seu critério.

* PODE SER A BÁSICA (P. 66) OU A ELABORADA (P. 70).

1. Pegue seu produto eleito para preencher falhas e realçar a cor — lápis, sombra ou rímel — e comece a riscar do canto interno para fora, seguindo o desenho natural. Mantenha a mão leve para não ficar marcado ou *fake* e faça movimentos curtos que acompanhem o sentido dos fios, como se estivesse pintando suavemente novos pelinhos.

ACHOU QUE O RESULTADO NÃO FICOU NATURAL? ESFUME COM A ESCOVINHA DE SOBRANCELHA PARA TIRAR O EXCESSO OU APLIQUE UM POUCO DE PÓ FACIAL SOLTO, USANDO UM PINCEL DE SOMBRA, PARA CORRIGIR.

2. Passe o rímel transparente ou a cera para alinhar os fios. Na falta deles, vale espirrar um pouco de spray fixador de cabelo na escovinha e pentear os pelos.

3. Alguns pelinhos estão começando a nascer fora do lugar? Dê leves batidinhas com o dedo sujo de corretivo de alta cobertura até disfarçar cerca de 50% deles, depois complete o trabalho com um corretivo iluminador.

OLHOS

COMO ESCOLHER

Sombras, lápis e afins

Do marronzinho básico à versão mais brilhosa e dramática, as sombras e lápis são dos produtos mais diversos — e divertidos! — do mundo da maquiagem. Podem realçar discretamente ou de maneira exagerada, dar definição e profundidade, tornar o visual misterioso, adicionar cor, iluminar… A graça é experimentar.

FÓRMULAS E TIPOS

SOMBRA EM PÓ

Há duas opções: compacta (talvez o tipo de sombra mais comum de encontrar por aí) e a de pigmento solto. A versão prensada ganha na praticidade, pois basta passar o pincel no produto e aplicar na pálpebra. Há várias texturas diferentes (opaca, acetinada, purpurinada…), o que influencia na pigmentação e no efeito final. Já a sombra em pó solto permite maior controle da intensidade, indo facilmente do suave ao marcante; mas costuma fazer um pouco mais de bagunça, se você não for cuidadosa. Ambas têm ótima durabilidade nos olhos e podem ser usadas com o pincel seco ou umedecido — é só molhar um pouco as cerdas, passar sobre a sombra e aplicar — para um resultado mais intenso.

SOMBRA CREMOSA

Bem fácil de espalhar (seja com os dedos ou com um pincel), ela é perfeita para maquiagens menos precisas ou executadas com pressa. Adere bem à pele, mas tem durabilidade menor e tende a acumular nas dobrinhas da pálpebra ao longo do tempo (basta dar leves batidinhas para reespalhar e resolver o problema). Gosto muito de usar a fórmula em creme junto com a sombra em pó, fazendo o que chamo de "sanduíche de sombras" — se usar a cremosa embaixo como base, você ganha mais intensidade e durabilidade. Já as versões cheias de brilho ficam lindas por cima de um esfumado feito com sombras em pó.

Sua sombra está caindo no rosto na hora de aplicar, estragando a pele já feita? Há duas saídas:

1. Faça o esfumado antes e deixe a pele para depois, assim dá para limpar o que sujou.

2. Posicione um lencinho de papel abaixo dos olhos, para proteger o rosto do pigmento que cair.

PARA GARANTIR MAIOR DURABILIDADE DA SOMBRA, VALE APLICAR UM *PRIMER* DE PÁLPEBRAS ANTES, NO CASO DA CREMOSA, OU UM POUQUINHO DE PÓ TRANSLÚCIDO POR CIMA PARA SEGURAR.

LÁPIS

O bom e velho lápis é um dos itens mais comuns de maquiagem. Preto e marrom são curingas para definir os olhos — quanto mais macio, mais fácil de esfumar —, mas há também opções interessantes coloridas e o nude, que, quando usado na linha d'água, abre e ilumina o olhar.

LÁPIS GORDINHO

Superprático, o lápis gordinho é uma ótima alternativa para a sombra na hora de pintar as pálpebras. Com textura de cera, parecida com a dos lápis de olho comuns, desliza com facilidade, adere bem e tem boa durabilidade e pigmentação.

Não precisa ter mão firme nem fazer um traço perfeito, já que a ideia é esfumar (pode ser com o dedo mesmo) e criar um véu de cor em questão de segundos!

PARA UM OLHO *ROCKER EXPRESS*, APLIQUE UM LÁPIS PRETO NORMAL NO CONTORNO DOS OLHOS, "BORRE" A LINHA COM UMA SOMBRA EM LÁPIS GORDINHO, ESFUME TUDO COM O DEDO E PRONTO!

OLHOS

SOBRE CORES

É de deixar qualquer mulher maluca a quantidade de cores de sombra disponível no mercado, e a missão de escolher "as certas" para compor sua coleção pode gerar um miniataque de ansiedade, ou (pior) fazer você ficar apenas no feijão com arroz — nesse caso, as básicas preta, marrom e champanhe. Tão sem graça! Aqui vão quatro dicas para ajudar nesse processo:

1. Amplie sua gama de neutros acrescentando tons "primos" desses três básicos; isso permite uma variação interessante de looks, sem sair da zona de conforto:

   - ★ O marrom pode ser mais escuro ou mais claro e ter diversas nuances: acobreado, vinho, tijolo, "rato" meio cinza, rosado quase tom de pele, entre outros.
   - ★ Para variar do preto opaco e puro, experimente os pretos emocionantes: com brilho prata, brilho dourado, brilho avermelhado etc.
   - ★ A função da sombra champanhe pode ser exercida por tons de rosa, pêssego, cinza, areia, prata e dourado, todos clarinhos.

2. Apele para uma paleta de sombras. É fácil entender por que elas fazem tanto sucesso: para quem não quer perder tempo escolhendo cor a cor, resolvem a questão numa tacada só. Escolha uma com tons coordenados, assim você tem a segurança de que tudo combina entre si, independentemente de quais você for aplicar.

3. Cores "coloridas" não precisam necessariamente ser vibrantes — de fato amarelo, azul-turquesa, verde-pavão e pink não são dos mais fáceis de incorporar no make. Já tons de azul--marinho, verde-musgo e berinjela são superusáveis! Escuros, intensos e quase pretos, dão um toque interessante e são ótimas alternativas aos neutros de sempre.

4. Quando estiver se sentindo segura no território das sombras, você pode brincar com cores vibrantes — às vezes usadas como um detalhe, às vezes como foco da maquiagem. Considero esses tons um acessório e gosto de experimentar de acordo com o humor, com a estação do ano, com as tendências da temporada...

Na prática

NÃO TENHA MEDO DE MISTURAR DIFERENTES TEXTURAS, ACABAMENTOS E TONS: ESSA É UMA DAS PARTES MAIS DIVERTIDAS E VOCÊ PODE CHEGAR A EFEITOS INCRÍVEIS. EXPERIMENTE FINALIZAR UM ESFUMADO DE SOMBRAS OPACAS COM UMA DE EFEITO QUASE MOLHADO (OU ATÉ UM *GLOSS*), PINCELE O PÓ SOLTO COM BRILHO POR CIMA DE UMA CREMOSA, USE QUATRO TONS DIFERENTES DE MARROM DE UMA VEZ PARA CRIAR UMA NUANCE SÓ SUA...

ARCO-ÍRIS

Para quem quer se aventurar no universo das cores "coloridas"...

TRAÇO CERTO

Como usar uma cor vibrante de maneira relativamente discreta? Fazendo traços! Vale substituir o delineador preto comum por um colorido, fazendo o mesmo formato, mas com esse toque de cor, ou também usar um lápis colorido apenas rente aos cílios inferiores — fica uma graça — ou ainda fazer todo o contorno do olho com ele, mas sem esfumar. Entre os tons vibrantes, azul, verde e roxo são mais amigáveis, já pink e amarelo são mais ousados.

BLOCO DE COR

Para um efeito mais tchans, escolha uma cor bem bonita e rica e use apenas ela, espalhada pela pálpebra toda até o côncavo, formando um bloco de cor. É um visual moderno e mais ousado, mas muito interessante. (A título de curiosidade, uma das minhas sombras "favoritas da vida toda" é uma roxa bem viva e pigmentada, que uso exatamente assim. Não é um visual para todo dia, mas recomendo experimentar!)

FOCO NOS CÍLIOS

Troque seu rímel preto por um azul, verde ou roxo — pode ser que você se apaixone pelo resultado. É um toque sutil de cor que costuma até passar despercebido por olhares menos treinados, mas adiciona charme extra e tira seu make da monotonia! Para quem ainda está se habituando, a dica é aplicar apenas nas pontinhas dos cílios como complemento ao rímel preto ou marrom.

Dica para esses dois looks: capriche na correção das olheiras e não dispense o rímel preto, que dá definição e equilibra o look colorido.

OLHOS

MODO DE USAR

OLHO BÁSICO

Bastam alguns gestos simples para definir e realçar seus olhos — pequenos, grandes, próximos, separados, com pálpebra escondida, não importa: sempre tem como deixá-los mais belos e interessantes. Aqui, uma sombra marrom básica será sua aliada número 1.

A técnica do contorno é muito conhecida para dar forma ao rosto, como você já viu no capítulo 3. Mas seu princípio — o de escurecer as áreas onde queremos criar profundidade e clarear os pontos que desejamos ressaltar — pode e deve ser usado para definir os olhos também.

Antes de começar o contorno dos olhos, é interessante neutralizar e uniformizar o tom das pálpebras. Para isso vale usar um *primer* específico para elas, corretivo ou uma sombra clarinha opaca, preenchendo desde a linha dos cílios superiores até a sobrancelha.

Depois, usando uma sombra marrom com tom levemente mais escuro que a pele e um pincel fofo com formato alongado, você vai trabalhar a pálpebra e o côncavo* de acordo com o efeito que deseja:

Veja a seguir.

* SE NÃO LEMBRAR ONDE FICA O CÔNCAVO, VEJA NA P. 27.

Como usar sua sombra para diferentes efeitos:

PARA DAR IMPRESSÃO DE OLHOS MAIS AMENDOADOS
Marque bem o côncavo com a sombra, fazendo movimento de vaivém e criando um formato arredondado.

PARA DEIXAR OS OLHOS MAIORES
Esfume a sombra na pálpebra toda e no côncavo e alongue o canto externo um pouco além do limite do olho.

PARA DEIXAR OS OLHOS MENORES
Preencha toda a pálpebra, da linha dos cílios até o côncavo, sem passar do limite do olho.

PARA DAR IMPRESSÃO DE OLHOS MAIS PRÓXIMOS
Reforce o sombreado no canto interno dos olhos, próximo do nariz.

PARA DAR IMPRESSÃO DE OLHOS MAIS SEPARADOS
Concentre o sombreado no canto externo dos olhos, deixando o centro e o canto inteiro iluminados.

Contorno feito, vale usar a mesma sombra rente aos cílios superiores e inferiores para definir ainda mais o olhar. Esta etapa pode ser feita sozinha ou como base para vários outros makes que você fará nos olhos.
Se seus olhos são do tipo que não mostram a pálpebra, nada de ignorar a maquiagem nessa região. Lembre-se de que na vida real, você pisca, olha para baixo... Então o que você fizer, vai aparecer!

PASSO A PASSO #5

OLHO EXPRESS

Para um make de impacto — e hiperfácil!

1. Depois de fazer a pele, use o pincel sujo de base para neutralizar a cor da pálpebra. Faça o mesmo com o pincel sujo de blush, para dar uma sombreada natural na região.

2. Com um lápis preto ou marrom (depende da intensidade que você deseja), faça um traço rente aos cílios superiores. Procure encostar a ponta do lápis nos cílios mesmo, para garantir que não fique nenhum buraquinho sem pintar.

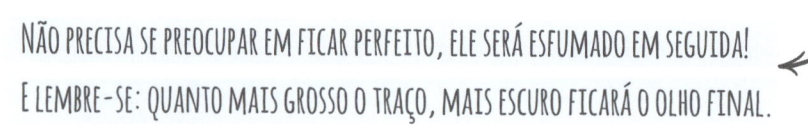

Não precisa se preocupar em ficar perfeito, ele será esfumado em seguida! E lembre-se: quanto mais grosso o traço, mais escuro ficará o olho final.

3. Em seguida, use um pincel pontudo, o dedo, ou lápis gordinho para esfumar esse traço, fazendo movimento de vaivém — você pode manter a cor mais rente dos cílios para um resultado mais discreto ou subir pela pálpebra até onde desejar. O segredo dessa etapa é não demorar.

Faça o combo traço + esfumado em um olho depois no outro — senão o lápis seca!

4. Agora a parte de baixo: com o mesmo lápis, pinte a linha d'água e a base dos cílios, depois pisque algumas vezes para carimbar com a base dos cílios superiores.

Para um resultado mais leve e discreto, faça o traço apenas do canto externo até o meio do olho, ou pule essa etapa completamente.

5. Esfume com o mesmo lápis gordinho ou com o dedo — quanto mais amplo for seu esfumado, mais dramático será o resultado.

PARA SEGURAR ESSE ESFUMADO E EVITAR QUE ELE BORRE E DÊ IMPRESSÃO DE OLHEIRAS, APLIQUE UM POUCO DE PÓ TRANSLÚCIDO LOGO ABAIXO.

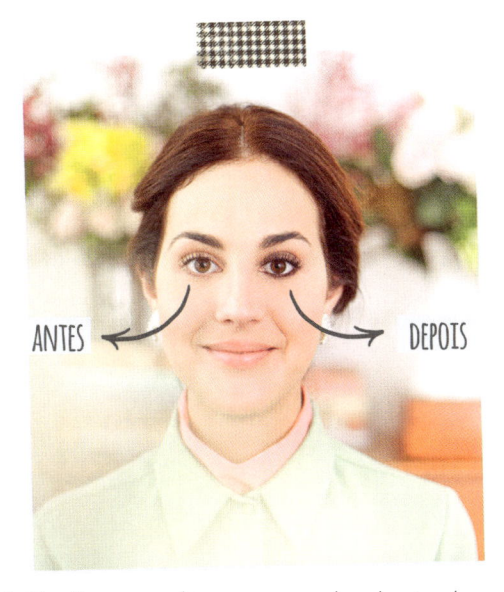

ANTES   DEPOIS

6. Finalize com algumas camadas de rímel.

VAI BEM COM...

qualquer cor de batom.

OLHOS

PASSO A PASSO #6

ESFUMADO CURINGA

Esse esfumado é tão certeiro que funciona bem para um dia de trabalho, um jantar com o namorado e até um casamento (inclusive se você for a noiva!).

Comece pela pele elaborada (p. 70) e depois siga estes passos:

1. Passe um *primer* nas pálpebras — ele neutraliza e uniformiza a pele, ajuda na fixação e deixa as sombras mais intensas.

2. Como base, aplique sombra nude e marrom, seguindo a técnica da p. 91.

3. Separe dois tons de sombras escuras com um pouco de brilho. Com um pincel médio, aplique a menos escura rente aos cílios superiores e esfume em direção ao côncavo, reforçando mais o canto externo, até encontrar com o marrom de base.

4. Com um pincel pequeno, aplique a mesma sombra rente aos cílios inferiores.

5. Ainda com o pincel pequeno, faça um traço rente aos cílios superiores com a sombra mais escura, para dar profundidade.

Se quiser, use o pincel levemente umedecido para um efeito mais marcante.

OLHOS

Se sua mão ainda não estiver firme escolha o lápis, que pode ser esfumado se o traço não ficar certinho.

6. Com uma sombra clarinha e iluminada, marque o "V" do canto interno e puxe a cor em direção ao meio da pálpebra, para fazer um contraponto ao esfumado do canto externo.

7. Com um delineador ou lápis preto, faça um traço delicado rente aos cílios superiores, terminando com um leve gatinho para dar aquele *up* no olhar.

8. Use um lápis preto na linha d'água se quiser definição extra.

9. Capriche nos cílios com curvex (se precisar) e muitas camadas de rímel preto.

10. Passo extra para dar um toque festivo ao look: escolha uma sombra com bastante brilho, mas sem muita pigmentação, e deposite com o dedo sobre toda a pálpebra (evite apenas cobrir o delineado).

VAI BEM COM...

batom nude de dia, batom vibrante à noite.

OLHOS

Delineador

Eis um produto que desperta reações de amor e ódio... O traço perfeito de delineador, que emoldura o olhar e termina com aquele puxado gatinho, é protagonista do visual preferido de muitas mulheres (eu sou uma delas!) e objeto de desejo de tantas outras — porque a verdade é que não é assim tão fácil de acertar de primeira. Mas se quiser dominar a arte do delineador, saiba que com treino, algumas técnicas e o produto ideal, você vai chegar lá.

FÓRMULAS E FORMATOS

Mas o que significa o *produto ideal*? Bem, você pode usar diversos produtos para fazer um traço preto rente aos cílios, com formatos e níveis de dificuldade diferentes, mas há certamente um com o qual vai se adaptar melhor — é uma questão de gosto, hábito e habilidade, e só experimentando para descobrir seu par perfeito!

LÁPIS

É o mais fácil de usar, até por quem ainda não tem prática. Como tem textura mais seca, não exige mão muito firme, já que não fica "sambando" na pálpebra na hora da aplicação. Embora não dê um acabamento de traço tão perfeito e pigmentado como o delineador líquido, tem outra vantagem: se errar, basta esfumar com o dedo e assumir o visual borradinho! Manter o lápis bem apontado facilita o trabalho.

Depois de fazer o traço com o lápis, passe o delineador líquido por cima para garantir o acabamento perfeito — é mais fácil acertar quando já tem um "rascunho".

Se lápis borra muito seus olhos, passe uma camada de sombra da mesma cor para "secar" o traço.

GEL

Outra boa opção para iniciantes, é mais intenso e pigmentado que o lápis (tem ótimo acabamento), embora mais seco que o delineador líquido. Deve ser usado com pincel fininho ou chanfrado, que ainda por cima ajuda na hora do gatinho e permite criar looks dos mais simples ao mais dramáticos. Tem boa durabilidade.

Tampe bem o potinho depois de usar para evitar que o produto seque.

CANETA

Apesar de a fórmula ser líquida, esse formato tem uso intuitivo — é como segurar uma caneta para escrever — e a ponta é durinha, o que dá certa segurança na hora de riscar.

Deixe a mão leve para fazer traços fininhos e force mais se quiser um mais grosso.

LÍQUIDO

Fino e maleável, exige mais habilidade; porém, com a prática, permite fazer um traço preciso e hiperpigmentado.

Escolha esse tipo se quiser um traço bem discreto.

NA HORA DE APLICAR

TRUQUES QUE AJUDAM — E MUITO — NA HORA DE FAZER O TRAÇO DO DELINEADOR:

- **Mantenha a mão firme.** No começo, vale apoiar o cotovelo em uma superfície plana para estabilizar o braço. Com a prática, a mão vai ficando naturalmente firme.

- **Não puxe demais a pálpebra.** O ideal é você passar o delineador com os olhos ligeiramente abertos e o rosto inclinado para trás. Puxar um pouquinho a pálpebra para o lado para esticar a pele pode facilitar a aplicação, mas não exagere, senão o traço fica disforme na hora que você solta.

- **Mire nos cílios.** O ideal é que o traço seja completamente rente, sem buraquinhos de pele à mostra, então vale até encostar o produto nos cílios para garantir; se precisar, engrosse o delineado numa segunda passada.

- **Vá aos poucos.** Não precisa fazer um traço contínuo, numa tacada só — é mais difícil, e não é isso que faz ele ser perfeito! Experimente riscar pouco a pouco até pegar a manha.

- **Reserve o momento gatinho.** Ele não precisa ser uma continuação do traço, assim você tem controle de onde ele termina e qual a angulação.

- **Não tenha pressa.** Deixe os olhos fechados por alguns segundos depois da aplicação para não carimbar a pálpebra.

DICA ESPERTA: NUNCA COMECE A DELINEAR SEM UM COTONETE POR PERTO — ELE PODE SER SUA SALVAÇÃO! MUITAS VEZES O JEITO DE ACERTAR O TRAÇO OU DEIXAR OS DOIS LADOS IGUAIS NÃO É IR RISCANDO MAIS E MAIS E MAIS ATÉ FICAR COM O OLHO TOTALMENTE PRETO (QUEM NUNCA?), E SIM IR FAZENDO PEQUENAS CORREÇÕES: AFINANDO SE UM LADO FICOU MAIS GROSSO, ENCURTANDO UMA PONTA QUE FOI LONGE DEMAIS, ACERTANDO A ANGULAÇÃO POR CIMA OU POR BAIXO DO TRAÇO... EU GOSTO DE USAR COTONETES BEM FININHOS, COM POUCO ALGODÃO, PARA TER MAIS PRECISÃO. COLOQUE UM TICO DE NADA DE DEMAQUILANTE E CONSERTE COM CUIDADO O QUE PRECISAR.

PASSO A PASSO #7

DELINEADOR BÁSICO

Aprendeu os truques na teoria, agora é hora de pôr em prática. Lembre-se de que, para virar expert no delineado, precisa praticar! Vamos ao treino!

1. Com seu produto eleito, comece o traço por onde sentir mais segurança:

   a) Começando do canto interno, com a ponta do seu pincel ou delineador virada para dentro, vá riscando aos poucos, bem rente aos cílios, até chegar no fim do olho e pare. Não siga acompanhando o desenho natural do olho, pois o traço ficará caído.

   b) Começando pelo gatinho, o truque é riscar de fora para dentro, assim você não fica perdida em relação a onde ele deve terminar. Com a ponta do seu pincel ou delineador virada para fora, confira a angulação e o tamanho que quer que o puxado tenha, faça uma marcação e então risque de fora para dentro até encontrar com a base do olho.*

* Às vezes, o ângulo ideal do gatinho no seu olho não é o que você imagina. Por isso, vale gastar um tempinho testando angulações diferentes até encontrar a que mais te valoriza — faça isso de preferência com o olho aberto e o rosto de frente.

98 OLHOS

2. Agora, complete o que faltou seguindo os passos abaixo:

a) Vire a ponta do produto para fora e faça o gatinho, de fora para dentro.

b) Vire a ponta para dentro e vá riscando rente aos cílios até preencher toda a extensão do olho.

VAI BEM COM...

batom vermelho!

OLHOS 99

DELINEADOR PARA TODA HORA

O delineador é meu fiel companheiro, é aquela maquiagem que faço quando não tenho tempo nem de pensar, mas preciso parecer minimamente arrumada. Mesmo na pressa, dá para variar um pouco do delineado básico, seja para o dia ou para a noite.

SÓ NO CANTO EXTERNO

Esse é fácil — não precisa nem delinear o olho todo, basta fazer um tracinho no canto externo que é quase um carimbo no tamanho da ponta do pincel ou do produto. Mal dá para notar, mas ele levanta a expressão e complementa superbem o make "rímel e nada mais".

INVISÍVEL

Como o nome sugere, o objetivo é que o risco nem apareça, valorizando os olhos de maneira ultradiscreta, mas não por isso menos interessante. Truque de passarela! O melhor para isso é um delineador com ponta bem fininha, e é crucial mirar nos cílios, preenchendo milimetricamente os espaços até chegar ao limite do olho (nem precisa fazer o puxadinho).

GATINHO COMPLETO

Extremo oposto do invisível, esse aqui é bem aparecido! Faça o delineado nos cílios superiores e complete contornando rente aos cílios inferiores, juntando nas extremidades — canto interno e canto externo.

Toque de brilho

PARA INCREMENTAR SEU DELINEADOR PARA A NOITE, UMA BOA DICA É USAR POR CIMA DO TRAÇO PRETO UM DELINEADOR COM *GLITTER* — GOSTO DO DOURADO E DO PRATA. É BEM FÁCIL E FICA SUPERCHARMOSO!

EXTRA

Se você quer dar um toque especial a alguns desses olhos, aqui vão cinco outros passos — é possível fazer só um, ou todos de uma vez!

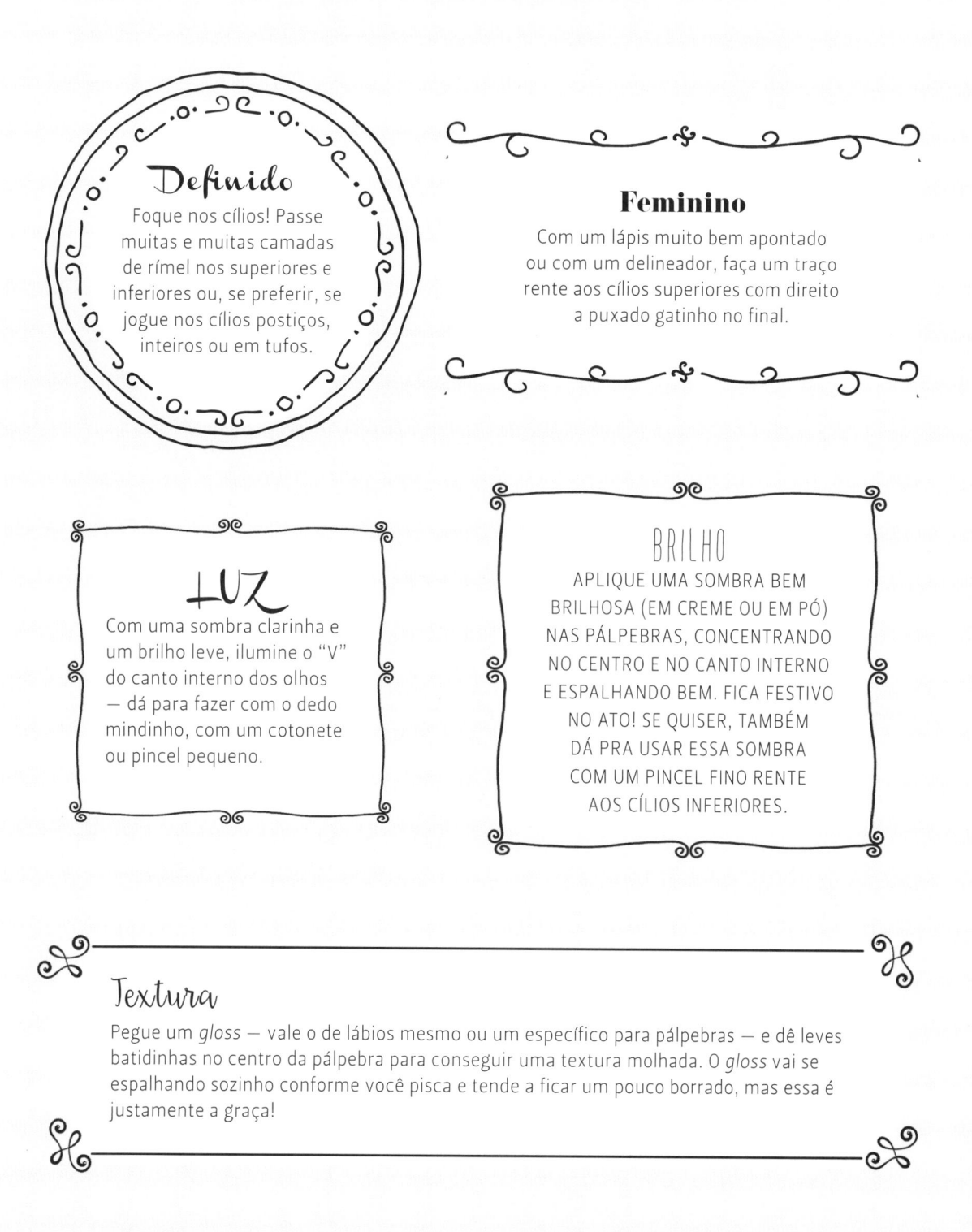

Definido

Foque nos cílios! Passe muitas e muitas camadas de rímel nos superiores e inferiores ou, se preferir, se jogue nos cílios postiços, inteiros ou em tufos.

Feminino

Com um lápis muito bem apontado ou com um delineador, faça um traço rente aos cílios superiores com direito a puxado gatinho no final.

LUZ

Com uma sombra clarinha e um brilho leve, ilumine o "V" do canto interno dos olhos — dá para fazer com o dedo mindinho, com um cotonete ou pincel pequeno.

BRILHO

APLIQUE UMA SOMBRA BEM BRILHOSA (EM CREME OU EM PÓ) NAS PÁLPEBRAS, CONCENTRANDO NO CENTRO E NO CANTO INTERNO E ESPALHANDO BEM. FICA FESTIVO NO ATO! SE QUISER, TAMBÉM DÁ PRA USAR ESSA SOMBRA COM UM PINCEL FINO RENTE AOS CÍLIOS INFERIORES.

Textura

Pegue um *gloss* — vale o de lábios mesmo ou um específico para pálpebras — e dê leves batidinhas no centro da pálpebra para conseguir uma textura molhada. O *gloss* vai se espalhando sozinho conforme você pisca e tende a ficar um pouco borrado, mas essa é justamente a graça!

OLHOS

CULINÁRIA & MAQUIAGEM:
um paralelo curioso

Outro dia estava cozinhando — fazendo um brownie, para ser mais precisa — e me peguei pensando nas muitas similaridades que existem entre o ato de cozinhar e o de se maquiar. Ingredientes × produtos; receita × passo a passo; prato pronto × rosto pronto...

Quem não domina aquilo fica naturalmente ansioso. Quer fazer tudo perfeito, quer seguir a receita E-XA-TA-MEN-TE como está lá, na esperança de que o prato fique E-XA-TA-MEN-TE como o da foto ou do vídeo.

E os obstáculos? Às vezes, a receita não especifica se "uma colher de açúcar" é rasa ou transbordando. Será que coloquei demais? De menos? "Junte os ingredientes em um recipiente e misture até ficar homogêneo." Mas como saber o que é homogêneo nesse caso? E o medo de abrir o forno para ver a quantas anda e colocar tudo a perder?

Até terminar a receita, você fica numa insegurança só. E é apenas com o tempo e a prática que aquilo passa a ser natural e divertido, até você chegar no ponto em que tem segurança para usar uma receita só como base, incluir ou tirar ingredientes, experimentar coisas diferentes...

Para mim, dizer que para fazer um esfumado basta riscar rente aos cílios, espalhar com sombra marrom, levar outro tom de sombra até o côncavo e depois iluminar o canto interno parece simples, mas nesse dia (o do brownie) percebi quantas dúvidas podem surgir se a pessoa não tiver intimidade com aquele universo.

E minha conclusão é o conselho que deixo: assim como acontece ao cozinhar, não há nada melhor do que ter um pouco de prática na hora de se maquiar. Mas, acima de tudo, relaxe! Desprenda-se um pouco da "receita" e siga mais sua intuição, confie no espelho e tente fazer só para ver no que dá, antes de desistir por parecer difícil.

Até porque a maquiagem tem uma enorme vantagem sobre a culinária: se sair muito errado, basta passar demaquilante e começar de novo. Já o bolo...

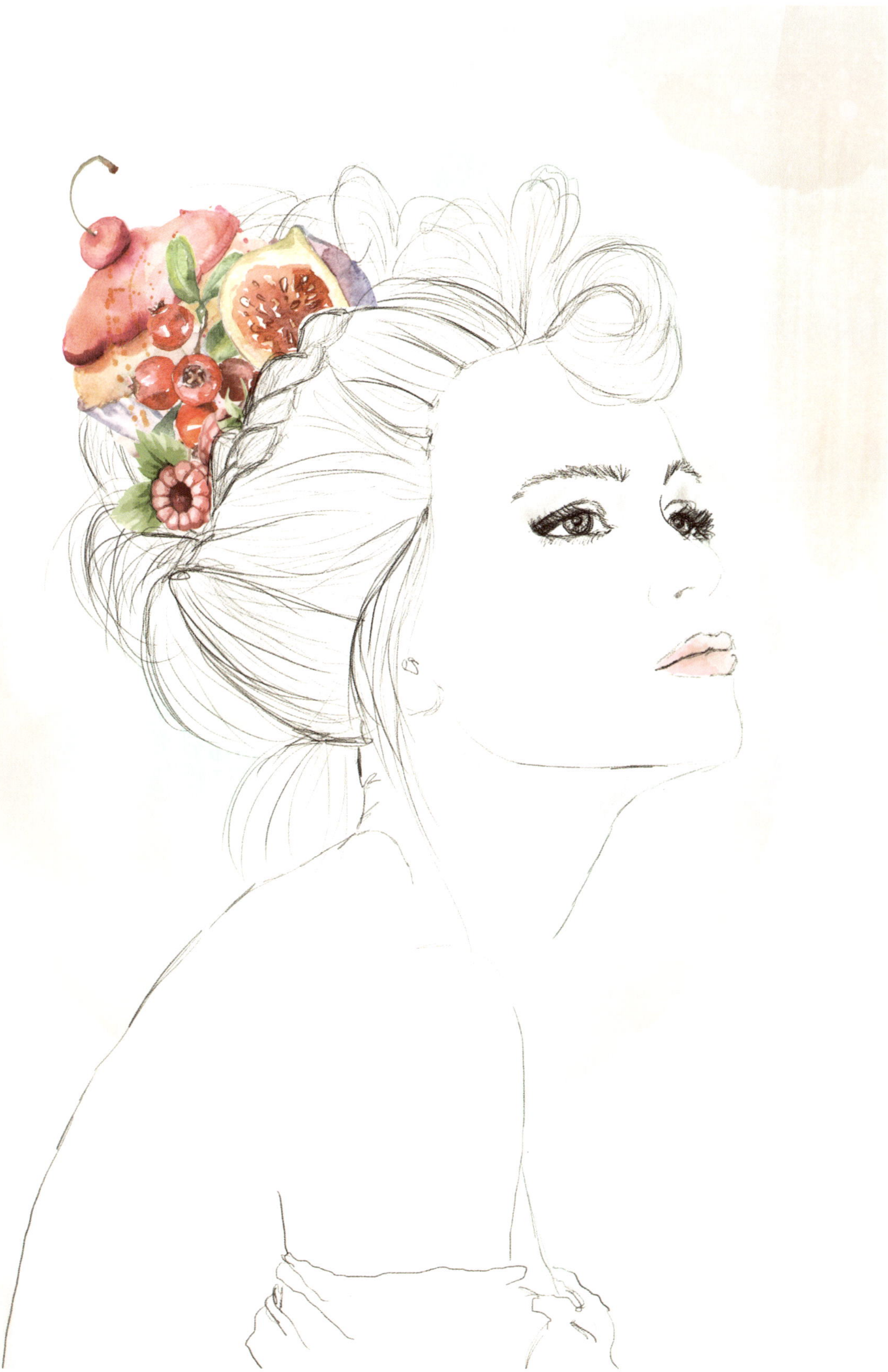

PASSO A PASSO #8

OLHO PRETO SEM COMPLICAÇÃO

Toda mulher merece saber fazer seu próprio olhão preto esfumado, aquele visual poderoso que é uma ótima carta na manga para quando você quer arrasar. Aqui, uma versão que adoro por ser hiperfácil e ter altíssimo impacto.

> Comece com a pele feita. Aqui a pele elaborada vai superbem!

1. Com um lápis preto, preencha toda a pálpebra móvel — comece com um traço na base dos cílios e vá pintando até chegar no côncavo. Não se preocupe com a perfeição, pois essa base será esfumada.

2. Hora de esfumar: com o dedo mesmo (o calor ajuda a espalhar melhor), borre o lápis até ter uma base preta uniforme.

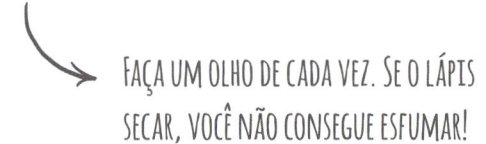

> Faça um olho de cada vez. Se o lápis secar, você não consegue esfumar!

3. Passe o lápis rente aos cílios inferiores e esfume com o dedo também.

> QUANDO ESTIVER USANDO OS DEDOS PARA MAQUIAR, CUIDADO PARA NÃO ENCOSTAR EM OUTRAS PARTES DO ROSTO E SE SUJAR!

4. Com o lápis ou um delineador líquido, reforce o preto rente aos cílios superiores para olhos com maior impacto — pode fazer a ponta mais ou menos alongada.

5. Escolha uma sombra escura com brilhos, em pó ou cremosa, e deposite na pálpebra superior cobrindo toda a base preta e também rente aos cílios inferiores.

6. Pegue um pincel fofinho e uma sombra marrom média e esfume acima do côncavo, para dar acabamento na borda do preto. Vale fazer o mesmo embaixo, com um pincel menor.

ISSO TAMBÉM AJUDA A SEGURAR O PRETO NO LUGAR.

7. Passe várias camadas de rímel. E pronto.

VAI BEM COM...

batom nude.

OLHOS 105

Cílios

Não dá para negar que cílios poderosos fazem a maior diferença no make. Naturais ou postiços, eles são o *grand finale* de qualquer look que você fizer — e muitas vezes, bastam algumas boas camadas de rímel, e nada mais, para valorizar os olhos. A seguir, os produtos e técnicas indispensáveis para garantir o sucesso dos seus cílios.

Rímel
EFEITOS E ESCOVINHAS

Há mil e um tipos de rímel no mercado, com diversas combinações de escovinhas e fórmulas para garantir efeitos variados. Os objetivos costumam ser os seguintes:

ALONGAR
A escovinha é mais fina e a fórmula mais leve, para não empelotar. Bom para quem gosta de efeito natural.

DAR VOLUME
A escovinha é mais gordinha e deposita bastante produto nos cílios. A fórmula é rica e o efeito é mais dramático.

CURVAR
O pincel costuma ser durinho e curvado, para sustentar os fios.

NÃO BORRAR
A fórmula de "tubo" é diferente da tinta comum, então não escorre nem borra. Na hora de tirar, basta massagear os cílios com água morna e o produto sai como se fosse uma borrachinha.

Acho interessante ter mais de um rímel, para diferentes finalidades, e até mesmo combinar vários numa mesma aplicação — associar efeitos dá supercerto! Por exemplo, você pode começar com o de curvar na base dos cílios, depois pentear até as pontas com o de alongar e terminar com muitas camadas do rímel de volume para máximo impacto. (Espere alguns segundos entre as camadas de rímeis diferentes.)

Além do preto, favorito de nove entre dez mulheres, o rímel marrom é uma boa pedida para loiras que buscam um resultado mais suave. Gosto também do marrom para os cílios de baixo, independentemente do seu biotipo!

E o rímel à prova d'água? Além de ser uma alternativa para quem tem cílios que não sustentam a curva nem com reza braba, ele é fundamental para ocasiões que envolvem lágrimas, suor ou água (praia, piscina...). É sempre bom ter um entre os seus eleitos, mesmo que você não use com frequência.

Rimel preto: o favorito de nove entre dez mulheres.

PASSO A PASSO #9

CÍLIOS COM EMOÇÃO

Se você quer que os cílios sejam os protagonistas da maquiagem, aqui vão os passos para curvar, definir e dar volume — Emília ficaria orgulhosa.

1. Quem precisa de curvex deve começar por ele, no maior capricho.

2. Escolha qual rímel (ou quais) vai usar. Sempre que tirar a escovinha de dentro da embalagem, limpe o excesso de produto (pode ser no próprio tubo) para diminuir as chances de sujar a pálpebra.

3. Na hora de aplicar, gosto de fazer movimentos de vaivém com o pincel na horizontal indo da raiz até as pontas, de um canto a outro, evitando que os cílios fiquem grudados. Manter o olhar para baixo também ajuda a não borrar a pálpebra.

4. Para dar maior sustentação e curvatura aos fios, coloque o rímel na vertical e vá penteando os cílios para cima (e acrescentando produto).

5. Se achar que ficou empelotado, use uma escovinha de pentear sobrancelha para separar os fios.

Muito rímel preto nos cílios inferiores pode acentuar as olheiras — lembre-se da dica na p. 72 e não exagere se essa for uma preocupação sua.

6. Para pintar os cílios inferiores, gosto de encostar a escovinha horizontalmente na base e borrar de leve a raiz dos fios — dá uma ótima definição aos olhos. Para quem tem poucos cílios, outra opção é manter a escovinha na vertical e pintá-los um a um.

7. Aplique quantas camadas quiser. Quando terminar, reforce apenas nas pontinhas para dar o toque final.

VAI BEM COM...
batom vermelho!

OLHOS

Cílios postiços

Conheço gente que não faz uma maquiagem sem finalizar com postiços, enquanto outras nunca sequer colocaram com medo de ficar "demais". É fato que eles causam o maior impacto no olhar, mas há versões mais e menos exageradas, além de tufinhos e cantoneiras, para todo tipo de resultado. Para descobrir o postiço perfeito para você — há milhares de opções de tamanho, comprimento e volume —, apoie o acessório na base dos cílios e veja se o efeito está de acordo com seu desejo.

Objetivo 1

Nível de impacto: médio

Nível de trabalho: baixo

Fique com: modelo cantoneira

Vantagem: como é só no canto externo, é mais fácil de colar que o postiço completo.

Para dar um volume bem natural no canto externo dos olhos e complementar o delineado gatinho, é uma ótima pedida. Existem cantoneiras prontas para vender, mas você pode customizar cortando um postiço inteiro em três partes — use a externa se quiser fios mais longos ou a do meio para um resultado mais natural.

Objetivo 2

Nível de impacto: alto

Nível de trabalho: médio

Fique com: modelo inteiro

Vantagem: efeito cílios de boneca em poucos segundos, sem precisar chegar perto do rímel.

É o mais comum de encontrar e também o mais trabalhoso para aplicar — até pegar a prática, claro. Por cobrir o olho todo de um canto a outro, deve estar no tamanho certo para não ficar sobrando — se precisar, meça antes e corte um pedacinho do canto externo. Ele deve ficar totalmente rente aos cílios naturais, com as duas pontinhas no lugar certo e bem coladas.

Objetivo 3

★ **Nível de impacto:** variável

★ **Nível de trabalho:** variável

Fique com: modelo em tufos

VANTAGEM: SE ALGUM CAIR NO MEIO DA FESTA, A FALHA É PRATICAMENTE IMPERCEPTÍVEL.

Os tufinhos são muito versáteis. Você pode colar apenas alguns no canto externo, espalhados pela base dos cílios naturais ou bem juntinhos, para um efeito mais dramático. Porém, como ele é aplicado um a um, é preciso paciência e precisão para que não fiquem desalinhados.

Cílios de Hollywood

Para quem já domina a aplicação dos postiços e quer tentar algo ainda mais profissional, que tal colar o artificial por baixo — isso mesmo, por baixo — dos seus cílios? Esse truque é muito usado pelas celebridades no tapete vermelho. Como é impossível ver a junção do postiço com os cílios originais, já que ela acontece por dentro, ninguém tem como saber que aquela fartura toda não é obra da genética. Sim, é um pouquinho aflitivo, mas fazendo com cuidado dá tudo certo.

Passe uma camada bem fina de cola, na parte de cima da base dos postiços, espere secar por alguns segundos e então cole por baixo dos seus cílios naturais — mas na raiz, e não na linha d'água. Pressione com o dedo para unir os dois e pronto. Mágica!

PASSO A PASSO #10

CÍLIOS POSTIÇOS SEM DIFICULDADE

Porque, com um par de postiços dramáticos nos olhos, você não precisa de mais nada. Acredite na máxima "a prática leva à perfeição" e mãos à obra!

1. Curve seus cílios naturais (se necessário) e passe algumas camadas de rímel.

2. Ponha um pouco de cola no dorso da mão e deslize a base dos cílios sobre ela. Se achar mais fácil, segure os postiços com uma pinça.

3. Aguarde cerca de trinta segundos para que a cola seque um pouco — essa etapa é uma das chaves do sucesso, já que com a cola muito molhada o postiço vai ficar sambando no olho sem fixar.

Segure a ansiedade!

4. Com a cabeça inclinada para trás e olhando para baixo (coloque um espelho na altura do queixo para facilitar), apoie o postiço bem rente à base dos cílios.

5. Se estiver no lugar certo, faça uma leve pressão e aguarde alguns segundos antes de soltar. Dê atenção especial aos cantinhos, que descolam com mais facilidade — se precisar, adicione um pouco mais de cola neles usando a parte de trás da pinça.

Se não der certo de primeira, nada de desistir. Puxe delicadamente o postiço da pálpebra e recomece o processo.

6. Com a cola seca, aperte juntando os postiços com os cílios naturais e, se sentir necessidade, aplique um pouco de rímel.

7. A cola branca costuma ficar transparente ao secar; mas, se quiser, faça um traço de delineador por cima para dar acabamento.

VAI BEM COM...

batons vibrantes.

OLHOS 113

5

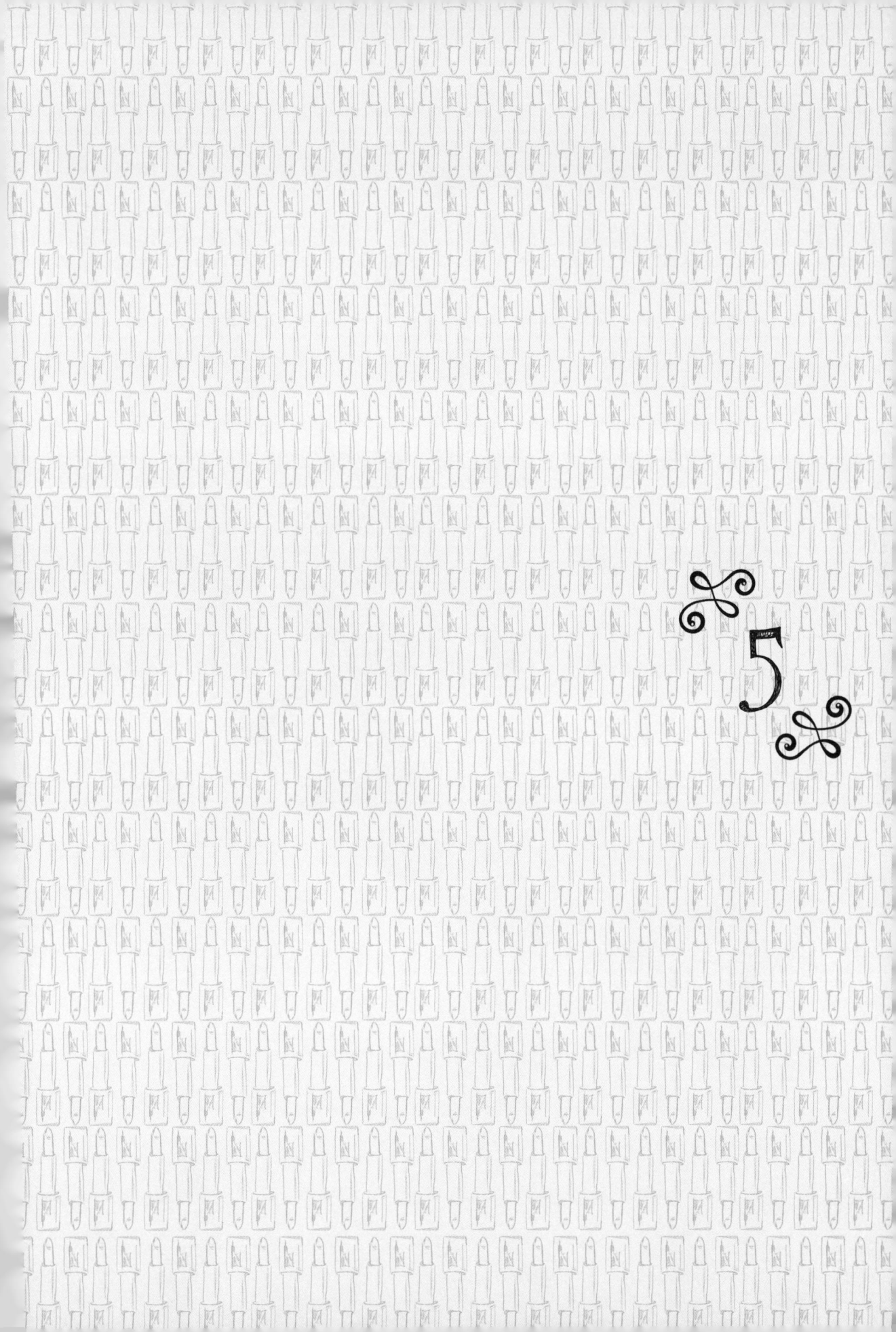

Boca

Impossível subestimar a importância da boca em uma maquiagem. Pense no poder que lábios vermelhos têm — um visual ao mesmo tempo sexy, clássico e descolado (ou seria um de cada vez, dependendo de como você aplicar e combinar?). E o que dizer do batom nude, que equilibra perfeitamente aquele olhão esfumado? São apenas dois exemplos que ilustram as inúmeras variações de cor, de textura e de combinações que podemos usar nos lábios. Sendo ou não o centro das atenções, sua boca não merece ficar esquecida.

Mil e uma opções P. 118

Fazendo durar P. 126

QUEM TEM MEDO DO BATOM VERMELHO? P. 130

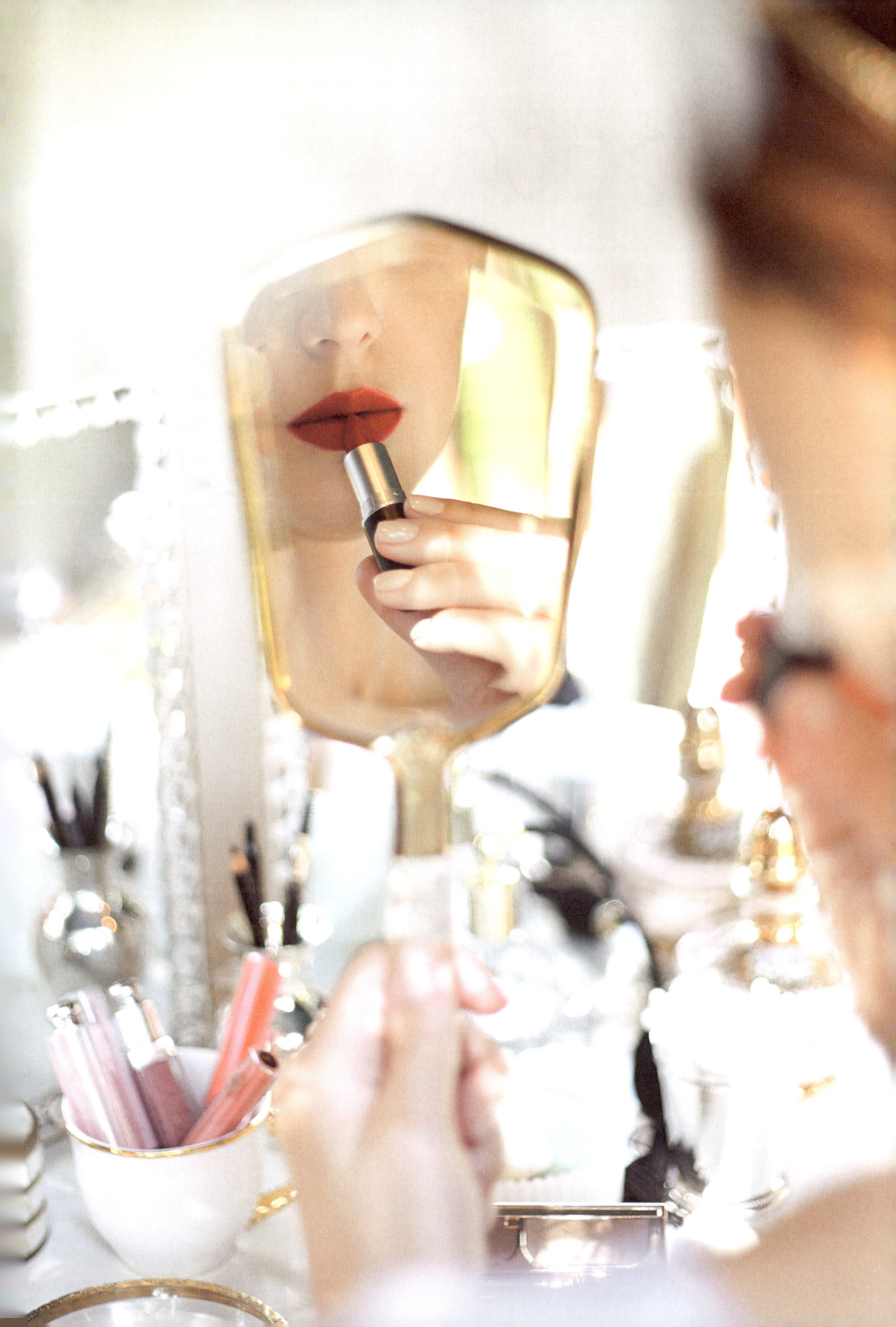

COMO ESCOLHER

As opções

Colorir, realçar, dar um tchans… Independentemente do que quiser fazer nos lábios, não faltam fórmulas, formatos e acabamentos para brincar.

FÓRMULAS E FORMATOS

LIP BALM — Um hidratante labial em forma de bastão, que pode vir em bisnaga ou potinho e que pode ou não ter cor — quando tem, a pigmentação é suave.

BATOM LÍQUIDO — Superpigmentado e com longa duração. Parece uma tinta espessa e vem com aplicador como o do *gloss*. Alguns secam com acabamento mate, outros mantêm o brilho.

STAIN — A ideia dessa tinta, mais fluida que o batom líquido, é dar uma cor bem sutil e natural aos lábios, como se fosse uma "manchinha". A durabilidade é ótima e o *stain* costuma ser multiuso para aplicar também como blush.

LÁPIS DE BOCA — Seu acabamento é seco e a cor, intensa. Além de servir para delinear os lábios, é ótimo como base para aumentar a durabilidade de qualquer batom.

LÁPIS GORDINHO — O nome diz tudo. O lápis gordinho é ótimo para aplicar (muito intuitivo!), podendo ter fórmula tanto de *lip balm* com cor quanto de batom opaco e bem pigmentado.

GLOSS — Para quem quer muito brilho — seja molhado ou com partículas de *glitter* — e cor discreta, o *gloss* é a pedida.

BATOM TRADICIONAL — Claro que não poderia faltar o formato clássico, aquele que sua tataravó usava e que é, até hoje, um dos produtos de beleza mais vendidos no mundo. Ele pode oferecer diversos acabamentos…

Acabamentos

Batom cremoso
Hidratante, com uma intensidade de pigmento moderada — não fica nem vibrante demais nem transparente demais. Por ser mais hidratante, a durabilidade não é tão alta.

Batom acetinado
Também tem textura cremosa e hidratante, mas a intensidade da cor é baixa. Por ser meio transparente, é a opção ideal para quem tem medo de ousar com batons muito vibrantes.

Batom mate
É bem pigmentado e deixa os lábios opacos, com acabamento aveludado. Como é mais seco, adere bem e tem alta durabilidade.

Batom semimate
Menos seco que o mate, não dura tanto quanto ele, mas oferece maior conforto — boa opção para quem tem lábios ressecados, mas quer apostar em uma boca bem colorida e opaca.

Batom cintilante
Tem pigmentação média e acabamento metalizado.

COMO ESCOLHER

Com que cor eu vou?

Para quem ama batom como eu, escolher qual cor usar é uma tarefa difícil, mas sempre divertida! Se você também gosta de variar, recomendo montar uma coleção com muitas opções de tons — a lista abaixo ajuda na tarefa. E se é do tipo que não gosta muito de ousadias, variando no máximo entre duas cores, experimente brincar com texturas e formatos.

Quer saber qual cor combina melhor com você? Nada como passar nos lábios e se olhar no espelho. Existem algumas "regrinhas" para adequar batom × tom de pele, mas todo mundo sabe que eu não sou muito chegada a regras… Acho bem mais divertido testar e ver se funciona!

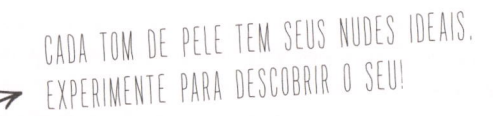

Cada tom de pele tem seus nudes ideais. Experimente para descobrir o seu!

NUDES
- Apagado
- Cor de boca mesmo
- Cor de boca com um realce
- Puxando mais para o marrom

Curinga em qualquer kit de maquiagem.

LARANJAS
- Coral clarinho
- Coral neutro quase boca
- Laranja bem laranja
- Laranja neon → *Superverão!*

ROSAS
- Clarinho frio
- Clarinho neutro quase cor de boca
- Rosa médio
- Pink chocante
- Pink chocante meio roxo
- Melancia

VERMELHOS
- Cereja
- Vermelho puro
- Vermelho-alaranjado
- Vermelho-rosado
- Vermelho intenso
- Vinho bordô
- Vinho roxo

} *Queridinhos do inverno.*

BOCA

Não tenha medo de bancar a pintora e misturar tons, texturas e acabamentos de batons para conseguir uma cor só sua. Eu amo fazer essas misturinhas: é uma ótima maneira de multiplicar sua coleção, além de ser o truque ideal para quando você não tem aquele tom específico que está procurando...

MODO DE USAR

- Misture as cores em um recipiente — você consegue dosar cada tom para chegar exatamente no resultado desejado.

OU

- Aplique as cores direto nos lábios: é mais fácil, menos preciso, mas funciona bem se a ideia é misturar, por exemplo, dois tons de vermelho para conseguir um terceiro.

BOCA

PASSO A PASSO #11

MAKE DIA COM BATOM VIBRANTE

Um dos maiores micos da beleza (mico com "c" mesmo, porque nem de "mito" dá para chamar mais!) é dizer que tem "hora certa" para usar batom vibrante. Nada a ver, né? Fazer um make lindo com boca colorida de dia está liberado! Eu particularmente adoro essa versão mais leve, que, além de equilibrar o batom, é perfeita para dias em que você precisa de máximo impacto em tempo mínimo.

1. Faça a pele — você pode seguir o passo a passo da pele básica (na p. 66) ou da elaborada (na p. 70).

NÃO SE ESQUEÇA DE PASSAR UM *LIP BALM* ANTES DO BATOM — ELE FUNCIONA COMO *PRIMER* E DISFARÇA LÁBIOS RESSECADOS OU RACHADOS! E MAIS: FAÇA DISSO O PRIMEIRO PASSO DO SEU MAKE, ASSIM DÁ TEMPO DE ABSORVER O EXCESSO PARA RECEBER MELHOR O BATOM.

2. Aplique lápis nude na linha d'água para abrir o olhar.

3. Espalhe uma sombra bege nas pálpebras móveis.

O TOM IDEAL É LEVEMENTE MAIS ESCURO QUE SUA PELE, PARA DEFINIR SUAVEMENTE OS OLHOS, QUASE UM FALSO ESFUMADO.

4. Defina os cílios com rímel (poucas, algumas ou muitas camadas!).

5. Passe o batom escolhido — você pode usar a técnica que preferir para controlar a intensidade da cor. Leia mais na p. 124.

BOCA

SE VOCÊ VAI USAR CORRETIVO (OU BASE) COMO BATOM

Às vezes aquele tom de batom nude ideal que você procura e não encontra pode ser conquistado usando... seu corretivo (ou base) nos lábios! Esse truque também é legal caso você queira "apagar" o tom natural dos lábios antes de passar algum outro batom, mudando assim o efeito final.

MODOS DE USAR

1. Antes de tudo, não espere que o produto se comporte como batom, afinal ele não é! Com o passar do tempo, acaba acumulando em algum cantinho, craquelando, ressecando... Mas tudo bem, basta reaplicar o *lip balm* e retocar o corretivo que dá tudo certo.

2. Falando em *lip balm*, hidratação é o ponto-chave aqui, já que o corretivo tende a ressecar os lábios — independentemente de você usar ele sozinho ou seguido de um batom coloridão ou neutro. Use antes e depois.

3. Vá aos poucos para ter melhor controle da cobertura — se passar uma camada muito grossa, pode ficar estranho!

DICA: ESCOLHA UM *LIP BALM* MAIS DURINHO, NÃO TÃO EMOLIENTE, PARA MAIOR DURABILIDADE. SE SÓ TIVER À MÃO UM MAIS LÍQUIDO, ESPERE ABSORVER E TIRE O EXCESSO COM UM LENÇO DE PAPEL.

BOCA

Aplicação

Três técnicas diferentes para passar batom, cada uma com suas particularidades:

1. DIRETO DA BALA

PONTOS ALTOS ↑
- praticidade: é abrir o batom e passar na boca.
- intensidade máxima da cor.

PONTO BAIXO ↓
- não oferece tanto controle e precisão quanto o pincel (especialmente depois que o batom já foi muito usado e perdeu o formato original, com aquela pontinha que ajuda no contorno dos lábios).

2. COM PINCEL

PONTOS ALTOS ↑
- máxima precisão e controle na aplicação.
- a cor fica fiel ao que você vê na bala.

PONTOS BAIXOS ↓
- menos prático, já que você precisa de outra ferramenta.
- pode ser desafiador para quem não tem a mão muito firme.

3. COM O DEDO

PONTOS ALTOS ↑
- fácil e intuitivo.
- resultado natural.
- alta durabilidade, já que você cria uma espécie de *stain*.

PONTO BAIXOS ↓
- suja os dedos.
- se você quer lábios bem definidos e com cor intensa, essa técnica definitivamente não é a ideal!

A BOCA "MANCHADINHA"

Esse visual pode ser chamado de várias maneiras: boca manchadinha, *stain*, batom esfumado… O que importa é que, além de aparecer com frequência em tapetes vermelhos e desfiles, é um visual muuuito fácil de fazer e de usar — ou seja, curinga para dias de pressa, preguiça ou falta de criatividade! Ah, é também uma boa ideia para suavizar e multiplicar os usos daquele seu batom superforte.

1. Hidrate os lábios com um *lip balm*.

2. Aplique no dorso da mão a cor (ou cores) de batom ou lápis que você quer usar. Suje a ponta do dedo médio nesse pigmento.

3. "Carimbe" os lábios dando batidinhas com a ponta do dedo.

4. Repita o processo até chegar no resultado desejado.

5. Se quiser, aplique outra camada de *lip balm* ou até um *gloss* clarinho para dar acabamento.

PASSO A PASSO #13

PARA FAZER DURAR

Você já deve ter visto por aí os batons de longa duração, com fórmulas especiais para realmente "colar" nos lábios por horas a fio (alguns vêm até com um produto que funciona como selador, como etapa extra da aplicação). E já sabe também que certos acabamentos garantem maior durabilidade (alô, mates!). Mas, seja lá qual for o batom que você decidir usar, existem algumas técnicas que ajudam a segurar a cor por mais tempo na sua boca.

1. Mesmo que seus lábios precisem de hidratação extra, lembre-se de tirar o excesso de *lip balm* antes de passar o batom — senão ele fica "escorregando", não adere direito e dura menos.

2. Acredite no poder do lápis de contorno. Use um tom similar ao do batom ou um próximo ao tom da sua boca, faça o contorno e depois preencha toda a superfície dos lábios. Essa primeira camada de cor ajuda a segurar o batom e, por ter alta fixação, mesmo que o batom vá embora, ela ainda estará lá!

Também dá para fazer essa primeira camada com um stain ou batom mate.

3. Aplique o batom com um pincel — ele controla a quantidade de produto e ajuda a "colar" a cor na boca, evitando excessos que sairão com facilidade em qualquer copo que você encostar, por exemplo.

PINCEL MÁGICO!

4. Seguindo essa mesma lógica, tire sempre o excesso de batom usando uma única folha de lenço de papel (eles costumam ter folhas duplas, então separe para ficar com ela bem fina e transparente). Se quiser mais intensidade de cor, faça algumas camadas tirando o excesso entre elas.

5. Outra técnica para durar é aplicar um véu de pó translúcido com um pincel fofo e gordo. Isso deixará o batom mais sequinho e portanto mais duradouro.

BOCA

PASSO A PASSO #14

MAKE NOITE COM BATOM VIBRANTE

Cor na boca não é sinônimo de falta de graça nos olhos, tá? Eleger um só ponto do rosto para chamar atenção — o famoso "olho tudo/boca nada", ou vice-versa como neste caso! — é o caminho para não exagerar, especialmente se você teme aparecer maquiada demais naquela festa. Mas isso não significa que não dá para ter emoção nos dois. Aqui, minha sugestão de olho noturno para complementar seu batom vibrante.

1. Faça a pele — para esse make, recomendo a pele elaborada (na p. 70), com direito a contorno, blush festivo e iluminador.

E NÃO SE ESQUEÇA DE HIDRATAR OS LÁBIOS!

2. Com uma sombra marrom-clara e um pincel fofo, marque suavemente o côncavo para deixar os olhos mais amendoados.

3. Escolha uma sombra clara com bastante brilho e aplique na pálpebra móvel dando batidinhas (não tem problema se passar por cima do côncavo marrom, a ideia é que eles se mesclem).

4. Coloque cílios postiços (o tamanho vai de acordo com o nível de drama que você quer para o make!).

* OPCIONAL: FAÇA UM TRAÇO COM DELINEADOR PRETO.

5. Aplique bastante rímel em cima e embaixo.

6. Complete a produção com um batom vibrante de sua preferência.

BOCA

QUEM TEM BOCA VAI A ROMA

Não sei quantas vezes já ouvi mulheres falando: "Ai, acho batom vermelho tão lindo, pena que não posso usar...". Ou a boca é muito grande, ou é muito pequena, ou a pele é muito branca, ou é muito morena, o cabelo não sei o quê, o dente... Sempre tem um problema que justifica o não uso do batom. Detalhe: na maioria das vezes, ela nem sequer experimentou o tal batom vermelho, já antecipando que não daria certo.

E eu fico só olhando espantada, tentando entender por que diabos a pessoa na minha frente não para de procurar defeitos (ah, esse inevitável hábito feminino...) e vai logo passar o batom para ver o que acontece! Afinal, é claro que não existe uma combinação ideal de fatores (formato da boca + tamanho dos lábios + cor da pele + cor do cabelo) que torne alguém perfeita para usar batom vermelho — ou pink, ou laranja, ou vinho — e exclua o resto. Nesse caso, querer é literalmente poder.

E tem mais: maquiagem sai! Fazer o teste não custa nada (mesmo! Dá para ir numa loja e experimentar sem comprar). Não dói e não tem efeitos colaterais. Se você gosta do visual e tem vontade de arriscar — e essa é a palavra-chave, porque o batom vibrante chama atenção e, dependendo de onde você for com ele, pode ser considerado uma ousadia —, faça isso.

Mas esteja avisada: vicia!

POR QUE EU AMO BATOM VERMELHO

1. É charmoso.
2. É a salvação em dias que você precisa parecer arrumada, mas teve dois minutos para fazer a maquiagem.
3. Dá para compor a cor da boca com a roupa, combinando ou contrastando tons. Para mim, batom é como um acessório!

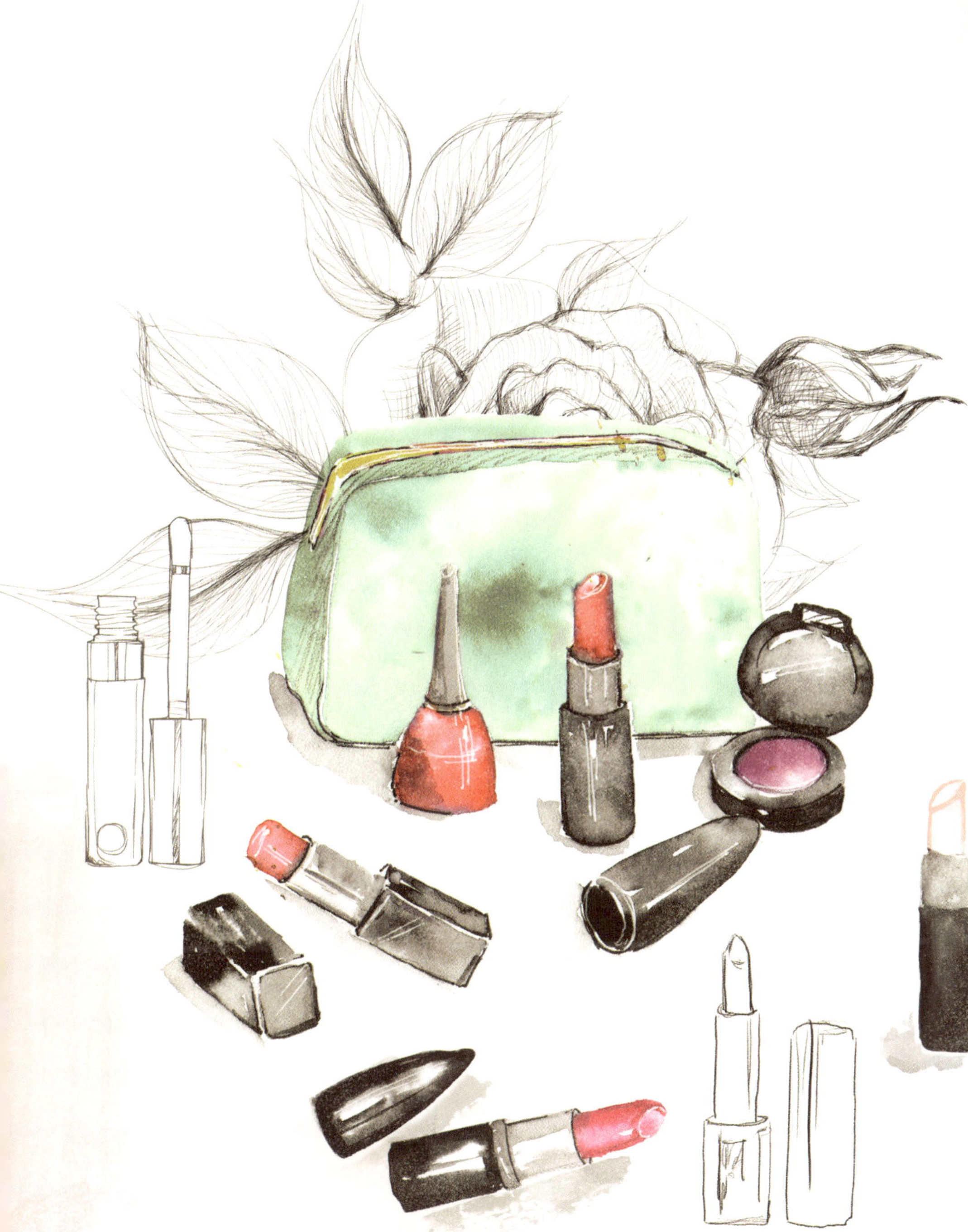

6

Na prática

Uma das coisas mais gostosas da maquiagem é que ela permite que a gente mude sempre e se reinvente de acordo com o nosso humor, estilo, com a ocasião... Nessas horas, buscar inspirações e montar *mood boards* ajudam e muito a gente a sair da rotina.

Inspire-se! P. 136

REMOVER É PRECISO P. 140

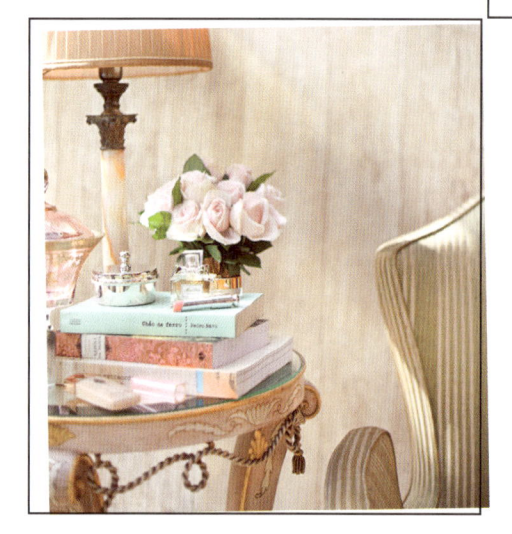

Para tudo dá-se um jeito P. 138

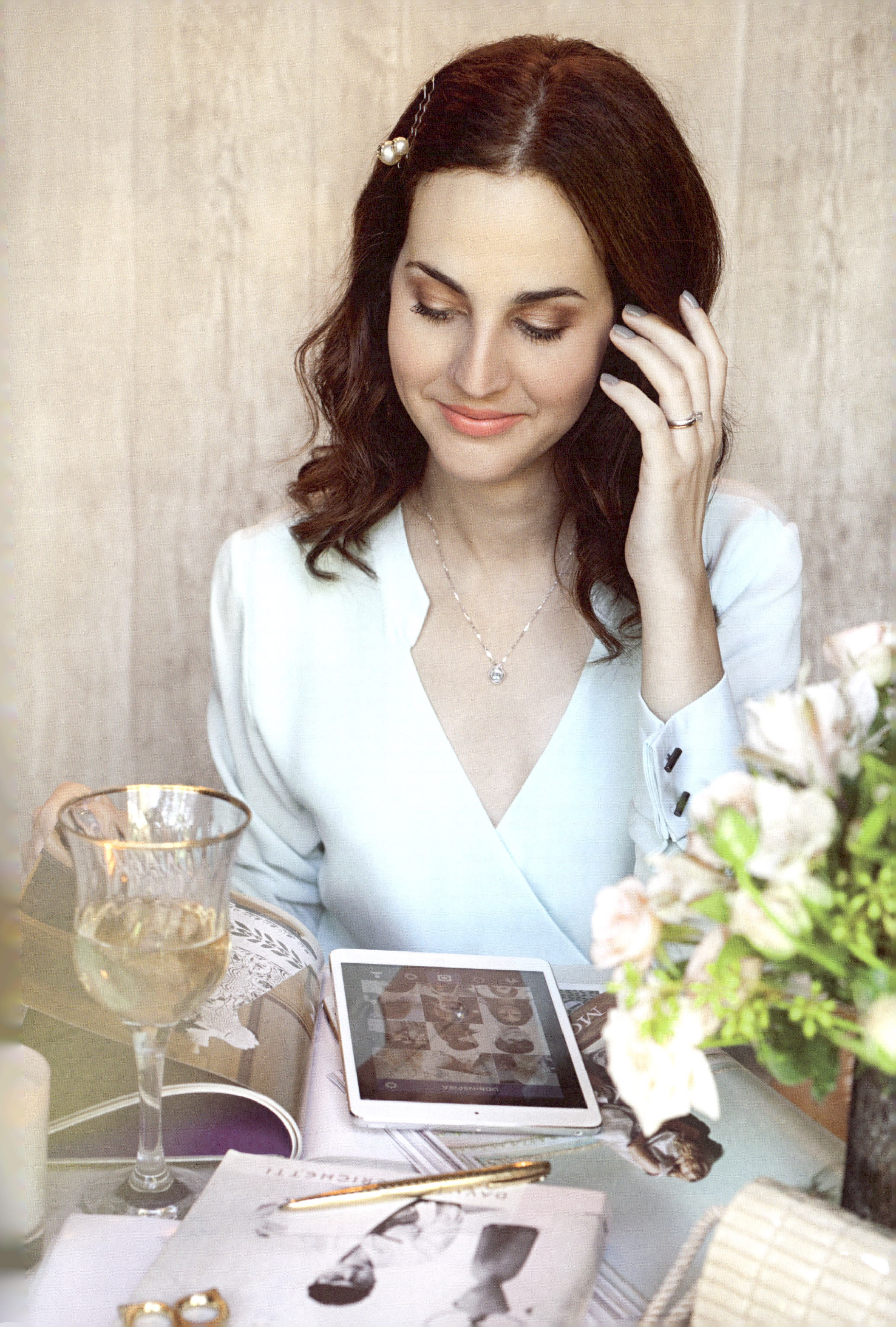

Inspire-se

Ter um acervo de imagens que te inspiram é o primeiro passo — sempre tive mania de guardar fotos que gosto, primeiro rasgando as páginas das revistas, depois criando pastinhas no computador e hoje em dia salvando — e compartilhando! — nas redes sociais.

Claro que essas referências não precisam ser interpretadas de maneira literal, até porque seus traços, seu tom de pele e seu estilo entram na equação para tornar aquela inspiração a sua cara — é difícil se transformar em uma atriz de Hollywood! Mas isso não significa que você não possa aproveitar uma ideia que viu em alguém com biotipo totalmente diferente do seu. O objetivo é abrir a cabeça e ter novas ideias para sair do lugar-comum.

Se não souber por onde começar, aqui vai uma listinha com minhas cinco fontes favoritas de inspiração — pontos de partida para você ir além:

1. Pinterest

A maior reunião de fotos lindas que conheço. Às vezes vou no fluxo, navegando pelos perfis que já sigo; às vezes faço uma busca mais focada, se procuro algo específico (e sempre acabo encontrando mais mil coisas lindas pelo caminho).

2. Tapetes vermelhos

Meus favoritos são Oscar, Festival de Cannes e Baile do Met.

3. Editoriais de moda

As edições brasileira, inglesa e francesa da *Vogue* são minhas favoritas para tirar inspiração. (Hoje em dia, em vez de arrancar a página, tiro uma foto com o celular!)

4. Blogs de street style

Apesar de o foco desses blogs ser normalmente a roupa, adoro ver como meninas reais e cheias de estilo fazem cabelo e maquiagem na hora de compor o look.

5. E como não citar...

A seção "Inspiração" do blog Dia de Beauté, onde compartilho fotos em alta resolução para ver todos os mínimos detalhes de makes e penteados lindos que encontro por aí.

mood board

COMO USAR

Passada a fase de buscar inspirações, vem a hora de explorá-las. Adoro quando tenho tempo para bolar o look de uma festa, de um evento especial ou das semanas de moda com calma — aproveito para considerar a ocasião, o clima, a roupa, os acessórios, meu humor, os produtos que vou usar no make, qual penteado combina melhor... E começo a montar um pequeno *mood board*, na cabeça ou no papel, com todos esses elementos.

   O ponto de partida pode ser qualquer um deles: o vestido, o batom novo que quero estrear etc. Como tudo está relacionado, uma coisa puxa outra — o penteado que vai bem com o decote do vestido, o acessório que valoriza o make e por aí vai. A ideia é criar uma imagem coesa, na qual tudo faz sentido e, acima de tudo, combina com você. Quanto mais exercitar e mais referências acumular, mais fácil será o processo.

Soluções express para probleminhas da beauté

O homem já pisou na lua, mas até hoje não descobriram um jeito de "deletar" em segundos uma espinha que aparece no meio da bochecha no dia da festa. Mas não adianta lamentar — enquanto isso não acontece, é preciso saber driblar os mais variados inconvenientes da *beauté*.

O PROBLEMA: Espinha teimosa
A SOLUÇÃO: O primeiro passo é reduzir o inchaço e a inflamação. Enrole um cubo de gelo em uma toalha de papel e pressione sobre a espinha por alguns minutos (de cinco a dez). Feito isso, passe uma pomada apropriada para proteger contra a infecção e siga usando seu corretivo para disfarçar qualquer vermelhidão restante. Nesse caso, recomendo aplicar o corretivo com pincel, mais preciso e pontual, sem "cobrir" a pele ao redor.

Se estiver usando um secativo superpotente, não deixe de hidratar a pele antes do corretivo, para evitar aquele aspecto craquelado que fica ainda mais evidente depois da maquiagem.

O PROBLEMA: Pele ressecada (mudanças no clima ou um longo voo de avião podem deixar o rosto sem viço)

A SOLUÇÃO: O jeito é investir na hidratação, claro, e fugir de maquiagens em pó, que acentuam o problema. Se tiver tempo, aplique uma máscara hidratante depois de limpar a pele, mas antes de passar o hidratante e o protetor solar. Também gosto de borrifar água termal antes, para acalmar qualquer irritação — aplique o hidratante com o rosto ainda úmido, para ajudar na absorção. Na maquiagem, opte por uma base líquida leve e blush cremoso. Abaixo dos olhos, misture o corretivo com um hidratante para suavizar olheiras e hidratar ao mesmo tempo. Se ainda assim sentir a pele repuxar, pingue uma gotinha de sérum, creme ou óleo facial nas palmas das mãos e encoste suavemente no rosto, fazendo pressão, mas sem tirar o make.

O PROBLEMA: Cansaço ou ressaca

A SOLUÇÃO: Para "acordar" o rosto e ajudar a dar uma revitalizada imediata, o melhor segredo é água gelada. Mergulhe o rosto numa bacia com gelo e água ou, menos radical, faça compressas com uma toalha molhada com água bem gelada durante cinco a dez minutos. Você já vai notar uma boa melhora no inchaço, especialmente na região dos olhos, a que mais sofre com noites maldormidas. Borrife um spray refrescante e siga com a rotina de cuidados.

Na maquiagem, pele radiante é a chave para fingir que você está ótima. Aplique um *primer* iluminador e uma camada de base de cobertura leve a média e efeito luminoso para uniformizar o tom da pele — se sua pele for oleosa, use um pó translúcido na zona T e no centro do queixo, mas não cubra o rosto todo com ele. Complete o combo da radiância com um iluminador (de preferência cremoso) nas têmporas e não se esqueça do blush, fundamental para dar aquele ar de saúde.

Os olhos merecem atenção especial, já que costumam entregar o cansaço mais do que a pele. Uma gotinha de colírio clareador ajuda bastante — não pode virar um hábito, mas há horas em que é necessário. Além do corretivo básico e do trio lápis nude na linha d'água + curvex + rímel, para abrir o olhar e parecer — adivinhe — descansada, use uma sombra clarinha e iluminadora nas pálpebras e faça no máximo um delineado fino ou esfumado muito leve e rente aos cílios. Para fechar com chave de ouro, use um batom vibrante para distrair as pessoas que encontrar!

O PROBLEMA: Resfriado

A SOLUÇÃO: Disfarçar a cara de resfriado é possível — você precisa, basicamente, pôr em prática as dicas anteriores, para pele ressecada e cansaço, além de acrescentar um passo: dê atenção especial à hidratação e ao corretivo na área ao redor do nariz, que tende a ficar vermelha e ressecada por causa do uso constante de lenços de papel. Aqui também é interessante misturar seu corretivo com um pouco de hidratante (mesmo que tenha aplicado hidratante antes), para atingir uma cobertura satisfatória sem ficar com a pele craquelada.

ROTINA PÓS-MAKE

Se existe um pecado da maquiagem, ele é dormir sem limpar o rosto. Não tem desculpa: por mais cansada que você esteja, remover o make e limpar a pele é fundamental, e está longe de ser trabalhoso!

> Deixe o removedor e os algodões perto da escova de dentes para não correr o risco de "esquecer" e ir dormir toda maquiada.

REMOVEDORES DE MAQUIAGEM, AS OPÇÕES

Você vai encontrar removedores de vários tipos. Aqui os mais comuns:

ÁGUA MICELAR: Parece água mas tem o poder de remover a maquiagem. Indicada para todos os tipos de pele, é bem levinha e não deixa resíduos. Ela é sempre o primeiro passo na minha rotina de limpeza no fim do dia, para remover o grosso da sujeira (maquiagem, poluição, oleosidade...). Mas se o make for mais carregado, ela pode precisar de um complemento.

REMOVEDOR BIFÁSICO: Indicado especialmente para remover a maquiagem dos olhos, que costuma ser mais carregada e difícil de tirar apenas com a água micelar. O segredo é pressionar, durante alguns segundos, o algodão embebido do produto sobre os olhos antes de começar a esfregar – assim a maquiagem "dissolve" e sai com mais facilidade. Também é tiro e queda para remover os batons mais pigmentados.

ÓLEO DEMAQUILANTE: É o produto queridinho das asiáticas. Aplique sobre a pele ainda seca, massageando o rosto todo e os olhos. Em seguida, adicione um pouco de água formando uma espécie de emulsão, que leva com ela o make e as impurezas na hora que você enxágua. A pele fica suave e macia, mas os olhos podem precisar de um reforço.

BALM SÓLIDO: O aspecto durinho engana: na hora que você aquece o produto na palma da mão, ele vira uma espécie de óleo e segue a mesma lógica dos óleos demaquilantes – "quebrar" a sujeira com o rosto seco. Aplique então massageando rosto e olhos e use uma toalha de tecido fininho (às vezes vem com o produto) ou um algodão umedecido para remover o produto e a maquiagem de uma vez.

DEMAQUILANTE EM CREME: Também pode ser aplicado sobre o rosto seco massageando a pele. Para remover, passe um algodão seco ou umedecido com água.

LENÇO DEMAQUILANTE: O mais prático de todos – deixo reservado para momentos de extrema preguiça! Para usar, não tem segredo: basta passar pelo rosto e pelos olhos uma ou mais vezes até tirar tudo.

DICAS EXTRAS

- XAMPU PARA BEBÊS: pode parecer curioso, mas é uma ótima alternativa para remover com eficácia e suavidade a maquiagem dos olhos — é recomendado por vários oftalmologistas, por ser neutro e não deixar resíduos.

- DEPOIS DE REMOVER a maquiagem com algum dos demaquilantes citados, costumo passar um TÔNICO para complementar a limpeza e borrifar ÁGUA TERMAL para acalmar a pele e prepará-la para os hidratantes noturnos.

COMO EU GOSTO DE TIRAR MINHA MAQUIAGEM

Tenho dois sistemas diferentes: um para quando tiro o make durante o banho, outro para quando faço a limpeza direto na pia.

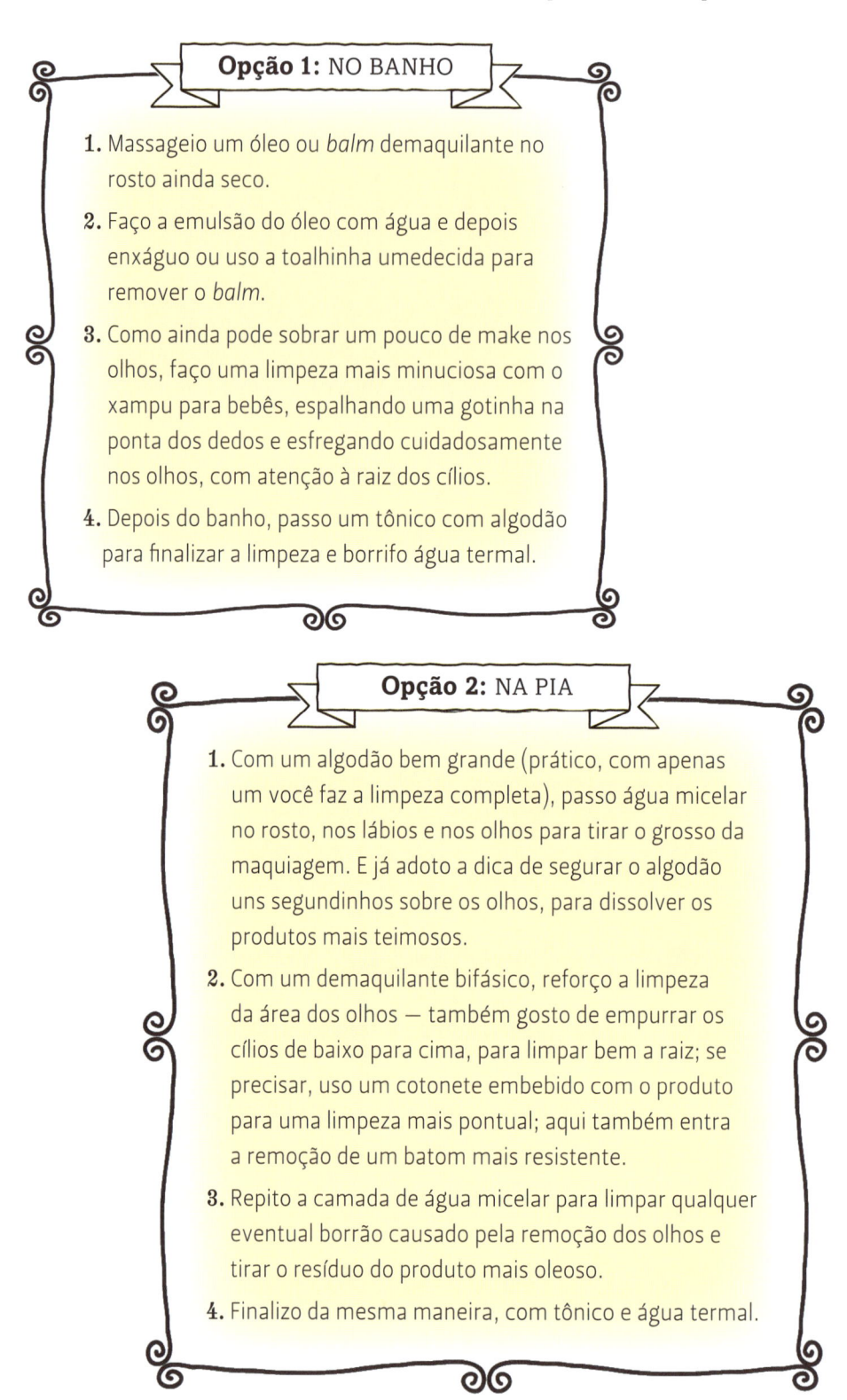

Opção 1: NO BANHO

1. Massageio um óleo ou *balm* demaquilante no rosto ainda seco.
2. Faço a emulsão do óleo com água e depois enxáguo ou uso a toalhinha umedecida para remover o *balm*.
3. Como ainda pode sobrar um pouco de make nos olhos, faço uma limpeza mais minuciosa com o xampu para bebês, espalhando uma gotinha na ponta dos dedos e esfregando cuidadosamente nos olhos, com atenção à raiz dos cílios.
4. Depois do banho, passo um tônico com algodão para finalizar a limpeza e borrifo água termal.

Opção 2: NA PIA

1. Com um algodão bem grande (prático, com apenas um você faz a limpeza completa), passo água micelar no rosto, nos lábios e nos olhos para tirar o grosso da maquiagem. E já adoto a dica de segurar o algodão uns segundinhos sobre os olhos, para dissolver os produtos mais teimosos.
2. Com um demaquilante bifásico, reforço a limpeza da área dos olhos — também gosto de empurrar os cílios de baixo para cima, para limpar bem a raiz; se precisar, uso um cotonete embebido com o produto para uma limpeza mais pontual; aqui também entra a remoção de um batom mais resistente.
3. Repito a camada de água micelar para limpar qualquer eventual borrão causado pela remoção dos olhos e tirar o resíduo do produto mais oleoso.
4. Finalizo da mesma maneira, com tônico e água termal.

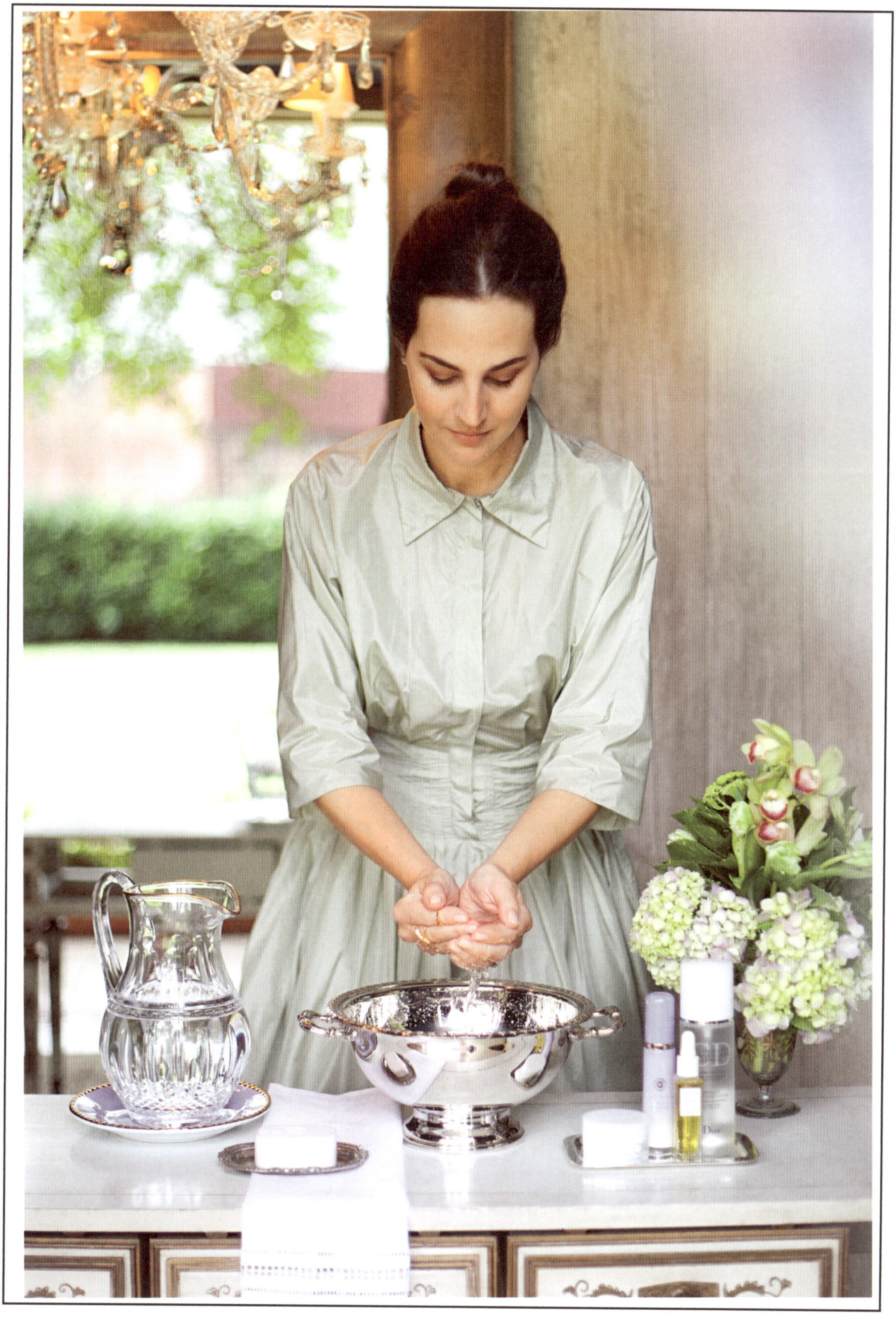

7

Passaporte beauté

Embora você já tenha lido sobre cuidados com a pele, o que carregar no nécessaire e a que ficar atenta na hora de escolher os seus produtos de beleza, quando o assunto é viagem, há algumas considerações extras. Aqui estão elas!

NOS ARES
P. 148

A louca das listas   P. 151

NOVAS AQUISIÇÕES
P. 152

PASSAPORTE *BEAUTÉ*

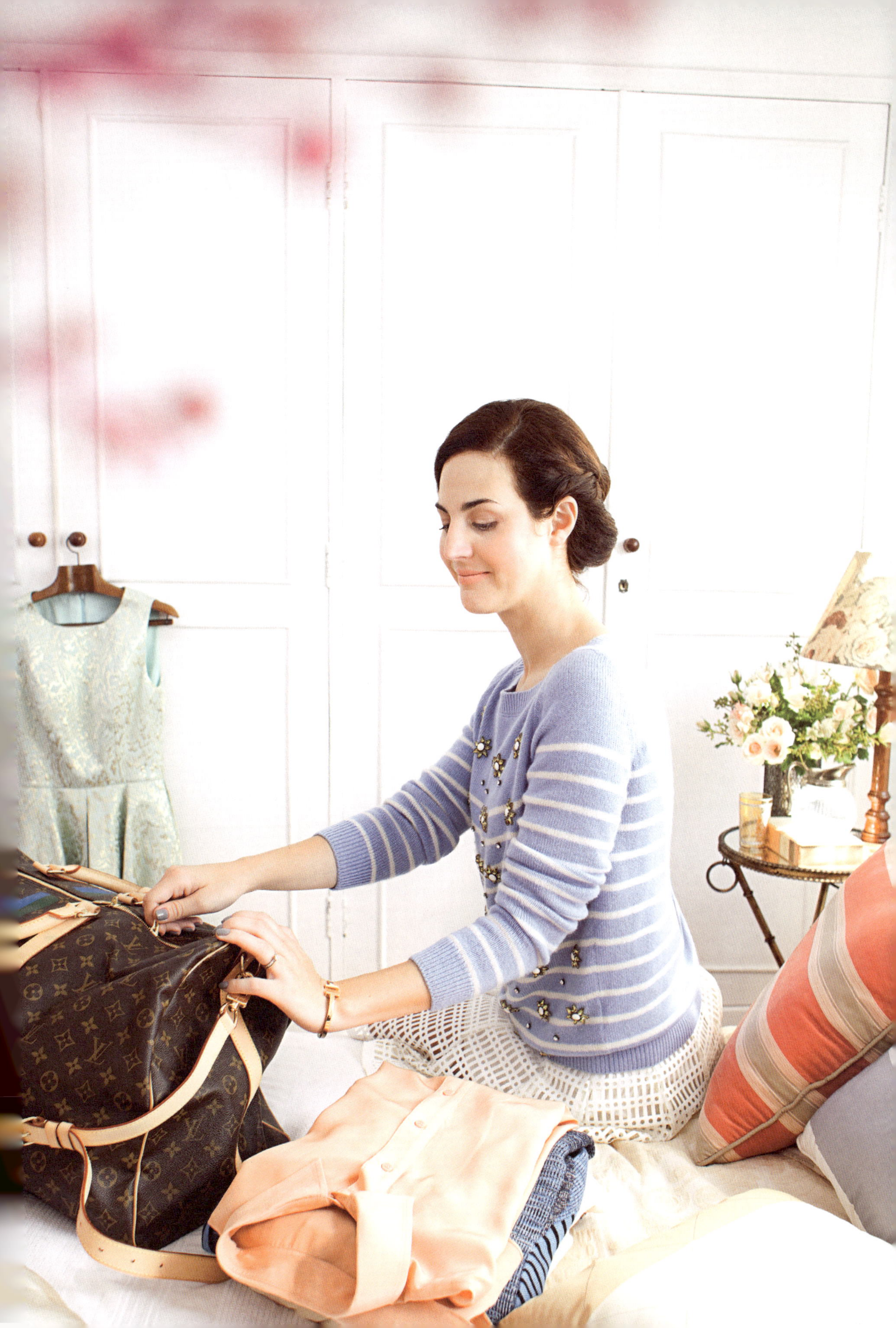

No avião

Viajar de avião sempre traz efeitos colaterais para a pele, principalmente se o voo for longo.

Saída

Por isso, defendo a ideia de que make dramático + viagem não combinam. Procuro voar de rosto limpo (mesmo que isso signifique passar algumas horas no aeroporto usando zero make!), assim não preciso levar demaquilante e algodão no nécessaire da mala de mão (mais sobre ela já, já). Se por acaso tiver que ir maquiada, levo o kit para tirar tudo quando chego no avião.

Durante

O ar rarefeito do avião resseca demais a pele — some a isso uma noite de sono maldormida (muito provavelmente) e o fuso horário no destino final, e o resultado é uma pele no mínimo sem viço. Por isso, aproveite as horas que estiver lá dentro para combater a secura e garantir uma aparência melhor quando pousar. Levo uma seleção de hidratantes, para rosto, olhos, mãos, lábios e cutículas, reaplico algumas vezes (mesmo se não sentir necessidade).

Durante (2)

Outra boa ideia é levar uma máscara hidratante e deixar no rosto por algumas horas durante o voo. Para completar os cuidados, beba muita, mas muita água (levo uma garrafinha de 750 ml e peço para fazer refil) e evite álcool, que desidrata.

Chegada

Antes de sair do avião, vale aplicar um BB cream — que uniformiza a pele e tem FPS —, um corretivo leve, um blush cremoso (para forjar a expressão descansada) e rímel.

O nécessaire da mala de mão

Embalagens com no máximo 100 ml e quantidade limite para caber num saquinho *ziplock* transparente. Desde que a restrição de líquidos em avião foi instituída, montar o nécessaire da mala de mão virou um desafio — hoje há várias opções de produtos em miniatura, mas mesmo assim é preciso certo planejamento (eu já deixo um nécessaire transparente pronto para viagens).

Para montar o seu, leve em conta o que vai precisar durante o voo e na chegada. Alguns itens para considerar — aposte nos mínis sempre que tiver, ou escolha o produto com embalagem mais compacta.

AH! Tudo que não for líquido e porventura não couber, coloque num nécessaire separado.

- Água termal
- BB cream
- Sérum hidratante
- Hidratante para a região dos olhos
- Creme para as mãos
- *Lip balm*
- Colírio reumidificador → *(os olhos também ficam muito secos)*
- Lenço demaquilante
- Desodorante
- Pasta de dentes e escova
- Corretivo iluminador de canetinha
- Blush cremoso → *(para espalhar com o dedo mesmo)*
- Rímel

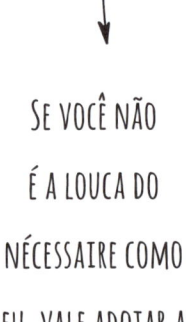

Se você não é a louca do nécessaire como eu, vale adotar a ideia de produtos separados usando saquinhos, como os *ziplocks*.

NA MALA

Aqui não tem restrição de líquidos! Mas nem por isso você precisa levar seu banheiro inteiro para a viagem — espaço na mala é algo precioso (pense nas compras que fará no destino), sem falar no peso (esse, sim, tem limite…). Procure se conter e organizar e, antes de montar o nécessaire, pense no destino, quanto tempo vai passar, quais serão os compromissos — assim você leva só o que vai mesmo precisar mas também não se esquece de nada que possa ser importante.

Considere também o tamanho dos produtos. Precisa levar aquela embalagem enorme de xampu que vai ocupar espaço e deixar a mala mais pesada? Se não tiver miniaturas, procure aqueles kits com potinhos vazios na farmácia e faça as suas próprias. Para levar tudo prefiro vários nécessaires menores, separando os produtos em categorias como corpo e banho em um, rosto e cabelo em outro, maquiagens divididas em mais duas ou três bolsinhas: isso facilita na hora de pôr na mala (você preenche buracos com os nécessaires, em vez de ter de encaixar aquele enorme) e de desfazer a mala, além de reduzir o estrago se algum produto resolver vazar durante o trajeto (drama-mor).

Checklist

Para quem sempre deixa alguma coisa para trás, um checklist para ajudar a montar o nécessaire:

CORPO/BANHO/CABELO
- [ ] Hidratante
- [ ] Esfoliante
- [ ] *Shower gel*
- [ ] Xampu
- [ ] Condicionador
- [ ] *Leave-in* de cabelo
- [ ] Spray
- [ ] Escova
- [ ] Secador/babyliss
- [ ] ....

MAQUIAGEM
- [ ] *Primer*
- [ ] Base
- [ ] Corretivo
- [ ] Pó
- [ ] Blush
- [ ] Pó bronzeador
- [ ] Iluminador
- [ ] Rímel
- [ ] Sombras
- [ ] Lápis
- [ ] Delineador
- [ ] Batom/*gloss*
- [ ] Pincéis
- [ ] ....

ROSTO/CUIDADOS BÁSICOS
- [ ] Sabonete de limpeza
- [ ] Tônico
- [ ] Hidratante dia
- [ ] Hidratante noite
- [ ] Demaquilante
- [ ] Creme para os olhos
- [ ] Água termal
- [ ] Lente de contato/soro fisiológico
- [ ] Cotonete/algodão
- [ ] Pinça
- [ ] Gilete
- [ ] Escova de dente
- [ ] Pasta de dente
- [ ] Fio dental
- [ ] Desodorante
- [ ] Lixa de unha
- [ ] Esmalte (um brilho ou o que estiver usando, para retoque)
- [ ] Perfume

SOL
- [ ] Protetor rosto
- [ ] Protetor corpo
- [ ] Bronzeador
- [ ] Protetor labial
- [ ] Pós-sol

Essas dicas valem para qualquer viagem, não só de avião!

Dica extra: para organizar sua maquiagem no hotel

Assim como em casa, organizar seus produtos no hotel agiliza o processo da maquiagem. Nem sempre há um espaço ideal para fazer isso, mas acabo dando um jeito — acho um canto, uma mesinha, uma gaveta, um espaço na pia (apesar de não ser ideal deixar makes no vapor do banheiro). Também pego dois copos para usar de suporte para os pincéis e para rímel, lápis e outros produtos nesse formato: fica organizado e otimiza o espaço.

COMO COMPRAR EM VIAGENS

Digamos que a enorme maioria dos destinos para onde podemos viajar oferece oportunidades de comprar produtos de beleza, então é bom se programar — senão a chance de ir à loucura e à "falência" é alta… Palavra de quem viaja muito e mesmo assim não se acostuma com a emoção de encontrar aquele produtinho, justo aquele, que você queria tanto e não vende no país onde mora! E, por alguma razão, comprar em viagem sempre parece mais agradável.

ALGUMAS DICAS

1. Tenha uma *wishlist* de *beauté* — anote em um bloquinho ou em uma planilha no computador sempre que se interessar por algum produto (de preferência com alguma explicação, para entender depois).

2. Alguns dias antes de partir, avalie sua *wishlist*, pesquise sobre as lojas e marcas disponíveis no seu local de destino e faça uma segunda lista mais específica para essa viagem.

3. A lista está gigante e você não terá tempo ou verba suficiente? Dê preferência a produtos diferentes do que você já tem e marcas que não estão à venda no Brasil.

4. Monte um roteirinho de compras otimizado, para não ficar como barata tonta indo até sei lá onde só para comprar o batom x.

5. Se der, reserve um tempinho para curtir a loja e experimentar tudo o que está na *wishlist*. Afinal, é bom saber como o produto fica em você antes de comprar.

6. Tenha em mente que, além do que você planejou comprar, vai acabar desejando mais mil e um produtos na hora que estiver vendo tudo ao vivo. Se você não for uma pessoa muito prática e focada, recomendo não gastar a verba inteira na primeira loja que entrar, já que provavelmente aparecerão outras coisas para comprar ao longo da viagem e vai ser difícil resistir!

7. Não tenha vergonha de pedir ajuda, mesmo que você não consiga se expressar muito bem na língua local — a maioria das grandes lojas de cosméticos no mundo tem funcionários que, pelo menos, arranham um espanhol ou inglês (isso quando não têm brasileiros trabalhando lá — acontece em grandes metrópoles como Nova York e Londres).

8. Na dúvida, apele para o Google Tradutor! O celular ajuda bastante não só na comunicação, como para pesquisar alguma coisa de última hora — só tome cuidado com a conta depois.

MAQUIAGEM É UMA VIAGEM

Já reparou como é possível viajar com a maquiagem — e não só literalmente, como estamos falando nesse capítulo? De pequenas viagens diárias, quando você resolve acrescentar um novo elemento no seu make básico, a grandes viagens, se reinventando, saindo da zona de conforto e experimentando algo totalmente diferente, encarnando um personagem de décadas passadas ou de outra cultura...

Isso é, na minha opinião, uma das coisas mais incríveis que a maquiagem proporciona, e espero que você esteja cheia de ideias e pronta para encarar muitas viagens desse tipo agora que chegamos ao fim do livro!

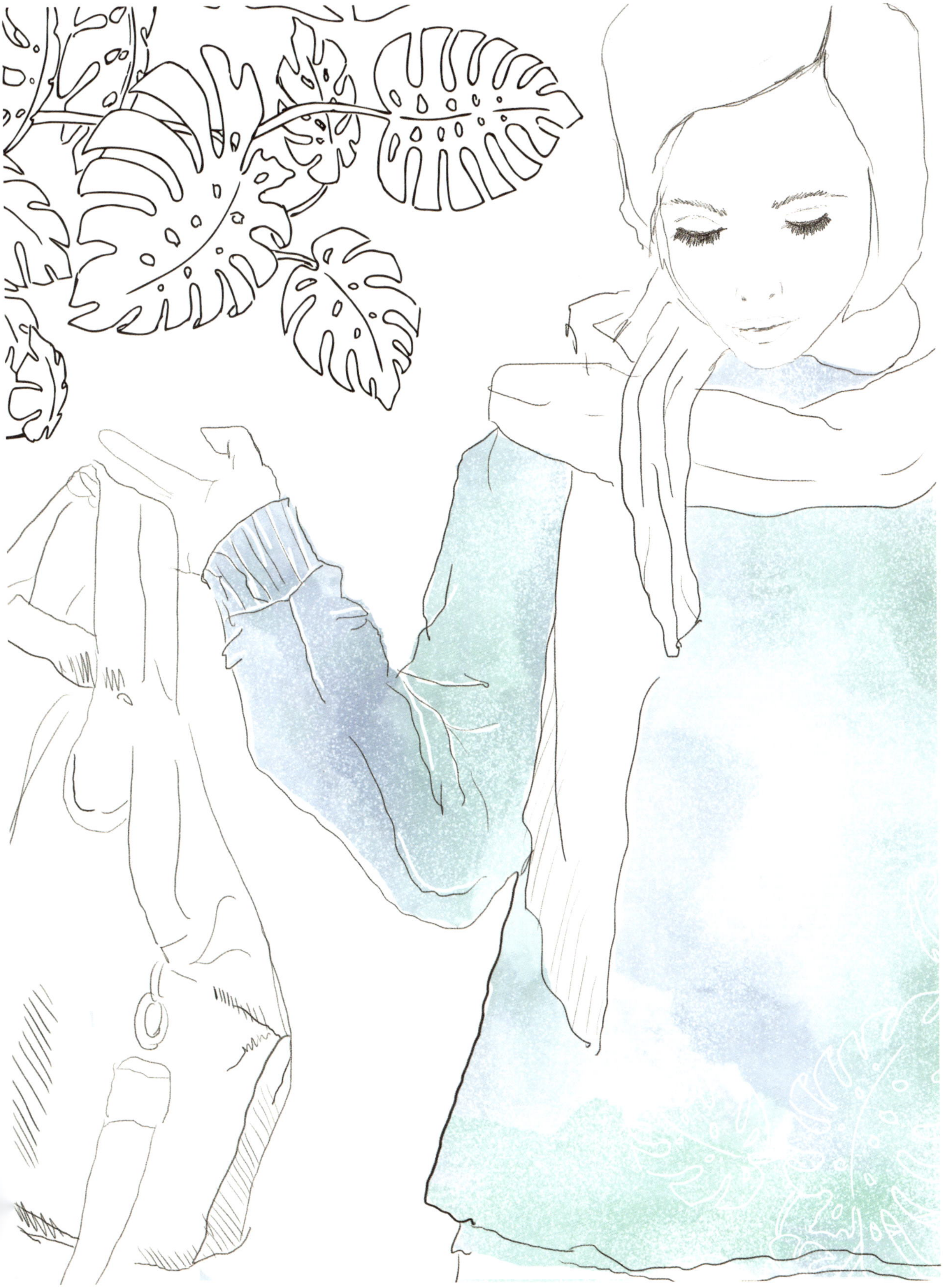

Agradecimentos

Difícil escolher por onde começar os agradecimentos, já que esse livro jamais existiria se não fosse todo o apoio pessoal e profissional que eu recebi não só nessa jornada, mas desde que comecei o Dia de Beauté — ou, bem possível, desde que comecei a me interessar por maquiagem, logo, desde que me conheço por gente...

Sendo assim, começo agradecendo meus pais, Suzana e Lito, que sempre incentivaram a mim e a meus irmãos, Luiza e João, a nutrir nossos hobbies e interesses, mesmo quando eles não entendiam de onde aquilo tinha surgido, e a sempre sermos criativos, independentes e muito trabalhadores, sem perder a leveza e a alegria.

Também agradeço minha família, especialmente meus irmãos, meu cunhado Guilherme, minhas avós Anna e Nena, minha tia Sônia e minha madrinha Anna Lucia, e minhas amigas queridas por, sabendo ou não, sempre estarem lá me apoiando e incentivando — e, claro, me pedindo para fazer maquiagem nelas, o que sempre foi um enorme aprendizado!

Ao meu marido, Rafael, um obrigada do tamanho do mundo por aturar minha loucura por maquiagem e minha rotina de trabalho maluca nesses quase dez anos, aceitar dormir em um quarto que mais parece uma loja, cozinhar para mim em dias em que eu provavelmente passaria a Maltesers focada no computador... e por me apoiar em tudo e sempre me fazer ver o lado bom das coisas.

Agradeço também a cada leitora do Dia de Beauté (seja no blog, no YouTube, no Instagram, no Snapchat, no Pinterest....), vocês são a razão pela qual o blog existe, esse livro é de vocês! E, claro, a minha equipe que, apesar de não trabalhar junto fisicamente, está presente intensamente no dia a dia do blog e no meu — Athena, meu braço direito há três anos, Amanda, estagiária que não poderia ter vindo em melhor hora, e Renata, que edita meus vídeos.

E agora meu imenso agradecimento para a equipe incrível e para os parceiros fundamentais que fizeram com que esse livro virasse realidade...

A toda a equipe da Editora Paralela e da Companhia das Letras, responsáveis por esse livro existir, em especial a minha editora,

Quezia, que aturou mais de um ano de e-mails e muitas mensagens de voz no WhatsApp, entendeu minha agenda maluca e meus prazos flexíveis (para não dizer *levemente* atrasados) e se empolgou tanto quanto eu em cada pedacinho do processo, tão novo para mim, mas nem tanto para ela. Bruno e Quezia, nunca vou esquecer da empolgação que senti quando recebi o e-mail de vocês, e devo dizer que ainda parece, como naquele dia, que isso era tudo um sonho distante. Obrigada também a querida colega jornalista Tathi Forato, que mergulhou comigo nesse projeto e foi uma ajuda essencial nos textos.

Ao time maravilhoso que conseguiu traduzir visualmente tudo o que eu desejava para o livro: a designer Joana Figueiredo, que arrasou no projeto gráfico e fez o casamento perfeito de texto, fotos, ilustrações e gracinhas em geral. Os fotógrafos João Bertholini, que fez todas as fotos "humanas" (ou seja, minhas) e também de cenário e trouxe uma linguagem poética que superou todas as expectativas, e Marcel Valvassori, arrasador quando o assunto é foto de produtos e still composto de todo tipo. As ilustrações lindas e criativas não poderiam ter sido feitas por outra pessoa se não Karen Hofstetter, designer megatalentosa com quem já trabalho no Dia de Beauté há três anos.

Ainda na concepção das imagens, não poderia ter melhor do que o trio "herdado" da *Vogue* com Italo Massaru na direção de arte, com seu aguçadíssimo senso estético (com direito a nécessaire diagramado), Adriana Basso, minha primeira estagiária e produtora de objetos de mão cheia, que não mede esforços para conseguir os itens mais peculiares que você puder imaginar, e Ana Arietti, que além de colaborar com a produção de objetos é a melhor "seguradora" de cenário de que se tem notícias. Vocês são demais, foi um prazer enorme trabalharmos juntos de novo!

Para me deixar digna de ser fotografada para um livro de beleza contei com colaborações valiosíssimas: da stylist Alexandra Benenti, que captou em segundos meu estilo e o clima do livro e fez a produção mais caprichada que já vi — uma pena que aqueles sapatos todos não puderam ser mais bem aproveitados, mas me diverti bastante a cada mudança de look, e foram várias... Da *beauty artist* Cris Biato e suas mãos mágicas, capaz de fazer penteados variados em tempo recorde e as ondas mais elogiadas que já tive, além de ajudar na maquiagem quando a foto não era de passo a passo, um ótimo momento de pausa para minhas mãos. E da manicure Simone Porcelina, que viabilizou minha ideia maluca de trocar de esmalte oito vezes durante as fotos. Aproveito para agradecer a Risqué, que foi super parceira na sessão de fotos (e de quebra mandou o portfólio in-tei-ro de esmaltes para deleite total de todas as mulheres envolvidas).

Não poderia deixar de agradecer a Barbara Migliori, amiga querida e oráculo fashion, que ajudou com conselhos preciosos para a direção do styling dos looks. Nem aos meus pais, que merecem uma segunda menção por emprestarem a casa para as fotos, uma invasão breve, porém intensa, que deixou o terraço dominado por móveis e objetos e a sala de jantar transformada em estúdio, e a Fabia, nossa fiel escudeira de casa, por aturar a bagunça e a movimentação.

Por alimentar a equipe nos dias de foto, um grande obrigada ao Nou e ao New Dog, à Bolo à Toa, à Petite Fleur e à chef (e amiga) Luiza Zaidan.

E por fazer os arranjos de flor mais lindos do mundo, cruciais para a composição das fotos, a Bothanica Paulista — minha mãe e minha irmã têm mesmo muito talento.

E por fim, mas não menos importante, a todas as marcas de cosméticos que enviaram produtos para usar e fotografar, todas as marcas que emprestaram roupas e acessórios para compor meus looks, e todas as lojas e marcas que emprestaram móveis e objetos para montarmos os cenários. **Cosméticos:** bareMinerals; Benefit; Cartier; Clarins; Clinique; Contém 1g; Dior; Eudora; Givenchy; Guerlain; Kenzo; L'Occitane; Lancôme; MAC; Maybelline; Nars; Natura; Quem disse, Berenice?; Sephora; Shiseido; Sisley; Smashbox; Vult; YSL. **Móveis e objetos:** Bothanica Paulista; C&C; D. Filipa; Donatelli Tecidos; Drogaria Iguatemi; Estúdio Gloria; Galpão Teo; Kate Spade; Ladurée; Leroy Merlin; Miu Miu;

Passado Composto; Props and Co; Studio Bergamin; Talchá; Tania Bulhões; Teo; Zara Home. **Roupas e acessórios:** Aaron & Hirsch; Alexandre Herchcovitch; Apartamento 03; Carolina Herrera; Cine 732; Cris Barros; Dior; Dolce & Gabbana; Egrey; Epiphanie; Fendi; Gucci; lool; Louis Vuitton; Magrella; Miu Miu; Nadia Gimenes; Nuage; Pat Bo; Paula Raia; Red Valentino; Reinaldo Lourenço; Studio Cocoon; Tiffany & Co. muito obrigada!

EQUIPE DE FOTOGRAFIA

Direção **Italo Massaru**
Produção de objetos **Adriana Basso** e **Ana Arietti**
Produção de figurino **Alexandra Benenti**
Beleza **Cristiane Biato**
Manicure **Simone Porcelina**

CRÉDITOS DAS IMAGENS

pp. 15, 16, 62 (acima e à direita), 110 e 118 (exceto a acima): **SHUTTERSTOCK**

pp. 25, 27, 29, 32 (acima e à esquerda), 35, 38 (acima), 39 (acima; abaixo e ao centro) 51, 52 (acima), 55, 57, 62 (abaixo), 64, 69, 73, 79, 82 (ao centro), 91, 98 (abaixo), 103, 131, 137, 146 (abaixo e à esquerda), 152 e 155: **KAREN HOFSTETTER**

pp. 8, 10, 13, 14, 17 (acima e à esquerda; abaixo), 20 (abaixo), 21, 23, 33, 48-9, 53, 59, 65, 66, 67, 70, 71, 76, 77, 82 (acima), 83, 85, 89, 90 (à direita), 92, 93, 94, 95, 98 (acima, ao centro), 99, 100, 104, 105, 108, 109, 112, 113, 117, 121, 122, 124, 125, 126, 127, 128, 129, 134 (abaixo), 135, 143, 146 (abaixo e à direita), 147 e 150: **JOÃO BERTHOLINI**

pp. 7, 17 (acima e à direita), 20 (acima), 22, 32 (acima e à esquerda; abaixo), 37, 38 (abaixo), 39 (ao centro e acima; abaixo), 40, 43, 44, 45, 46, 47, 52 (abaixo), 58, 60, 61, 62 (acima e à esquerda; acima e ao centro), 63, 82 (abaixo), 87, 90 (à esquerda), 96, 106, 107, 116, 118 (acima), 120, 123, 134 (acima e à direita), 138, 141 e 146 (acima): **MARCEL VALVASSORI**

Victoria Ceridono é jornalista e editora de beleza da revista *Vogue*. Criou o blog Dia de Beauté em 2007 para compartilhar conselhos e dicas práticas de beleza e maquiagem. Atualmente, mora em Londres. Para mais informações, visite: <diadebeaute.com> ou siga nas redes sociais: @vicceridono.

1ª EDIÇÃO [2015] 2 reimpressões

Esta obra foi composta por Joana Figueiredo em Leitura e impressa pela Geográfica em ofsete sobre papel Alta Alvura para a Editora Schwarcz em novembro de 2015

FSC
www.fsc.org
MISTO
Papel produzido a partir de fontes responsáveis
FSC® C019498

A marca FSC® é a garantia de que a madeira utilizada na fabricação do papel deste livro provém de florestas que foram gerenciadas de maneira ambientalmente correta, socialmente justa e economicamente viável, além de outras fontes de origem controlada.

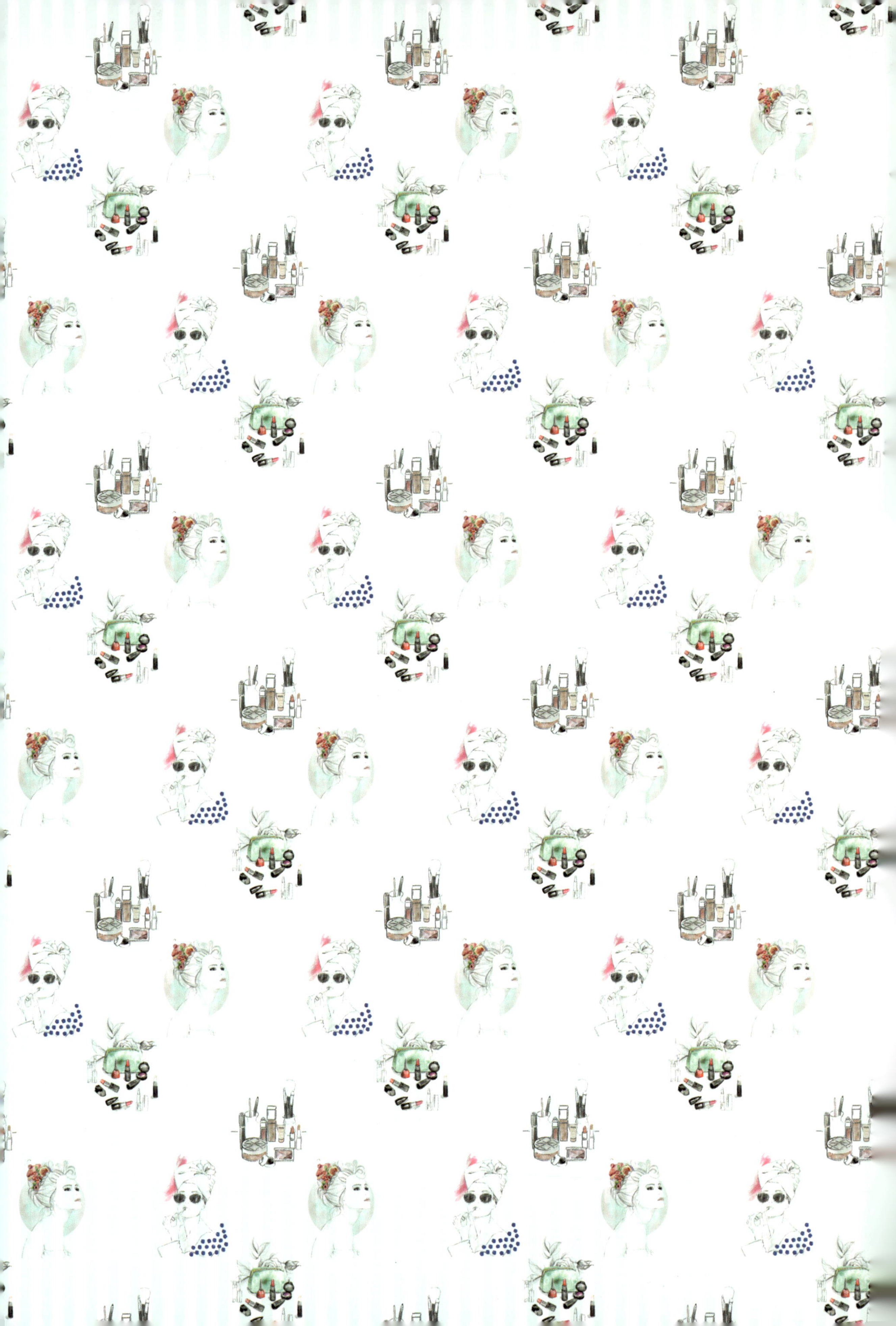